A comme Amour

VIKKI VANSICKLE

Texte français de Louise Binette

Éditions
SCHOLASTIC

À Rebecca Jess, qui croit en l'amour;
et à Tiffany Clayton, qui l'a trouvé.

Catalogage avant publication de Bibliothèque et Archives Canada

VanSickle, Vikki, 1982-
[Love is a four-letter word. Français]
A comme amour / Vikki VanSickle ; traductrice, Louise Binette.

Traduction de: Love is a four-letter word.

ISBN 978-1-4431-2014-2

I. Binette, Louise II. Titre : Love is a four-letter word.
Français

PS8643.A59L6814 2012   jC813'.6   C2012-902525-9

Édition publiée par les Éditions Scholastic,
604, rue King Ouest, Toronto (Ontario) M5V 1E1.

5 4 3 2 1   Imprimé au Canada 121   12 13 14 15 16

ALLÔ?

Il n'y a rien de plus déprimant que la fin du mois de mars, une fois que la semaine de relâche est passée, surtout que Pâques tombait tôt cette année, alors pas de congé en avril et rien d'excitant en perspective. On entame maintenant deux longs, deux interminables mois avant la fin de semaine de la fête de la Reine en mai. Voilà les pensées troublantes qui traversent mon esprit, me tirant du sommeil à une heure beaucoup trop matinale en ce samedi matin, mon avant-dernière journée de liberté. Je me hisse sur mes coudes et guette tout signe de vie, mais ma mère ne semble pas encore levée. Alors pourquoi devrais-je me forcer à sortir du lit?

Je retourne mon oreiller, lui donne un coup de poing pour lui faire reprendre sa forme et disparais de nouveau sous la couette. Quelques minutes plus tard, je tombe peu à peu dans une douce somnolence, rêvant que j'accorde à une journaliste une entrevue exclusive au sujet de ma plus récente interprétation primée, lorsqu'une alarme se déclenche. Ça nous distrait, la journaliste au style parfait et moi, et celle-ci n'arrête pas de regarder par-dessus son épaule.

— Clarissa! Le téléphone!

Pourquoi la voix de la journaliste sonne-t-elle exactement comme celle de ma mère? Et pourquoi cette sonnerie ne s'arrête-t-elle pas? Où est mon assistante? Où est le réalisateur de l'émission? Et qu'est-ce que c'est que cette émission-là, au fait?

— Je ne connais personne qui m'appellerait à une heure pareille, dit la voix de ma mère.

Encore ma mère. Et la sonnerie s'intensifie. C'est là que je saisis. Il n'y a pas de journaliste, pas d'entrevue. Je rêve. Et ce bruit irritant, c'est le téléphone. Tu parles d'un réveil brutal. Maintenant que j'ai identifié la provenance du bruit, je reviens brusquement à la réalité, et le rêve qui paraissait si réel il y a quelques secondes à peine s'évanouit. Je sors un bras de sous les couvertures et cherche le téléphone à tâtons, les yeux toujours fermés, comme pour emprisonner dans ma tête les dernières images de mon rêve. Ma main finit par toucher le téléphone.

— Oui?

Je voulais dire « allô », mais je n'ai jamais été très alerte le matin.

— Clarissa! Devine!

Benji, bien sûr. Mon propre coq personnel. Si je croyais à la réincarnation, je gagerais n'importe quoi que Benji a déjà été l'un de ces oiseaux qui commencent à crier quand il fait encore noir, avant même le lever du soleil.

— Quelle heure est-il?

— Je ne sais pas... 8 h 30, peut-être? Dormais-tu?

— Benji, c'est samedi. La plupart des gens normaux dorment encore.

— Oh, désolé.

Je devine à son ton qu'il se sent un peu coupable, mais ça ne dure qu'un instant.

— Je peux te dire pourquoi j'appelais?

— Vas-y, dis-je dans un murmure.

— Je lisais le journal ce matin, et il y a quelque chose à la page 4 qu'il faudrait que tu voies.

Voilà une autre particularité de Benji. Vous connaissez

combien de jeunes de 13 ans qui lisent le journal? Même si ce n'est que l'insipide journal local de huit pages?

— Peux-tu simplement me dire de quoi il s'agit?

— Non, je veux que tu le lises toi-même. Ce sera plus amusant! Tu n'es même pas un peu curieuse?

Je dois le reconnaître, il a piqué ma curiosité. Benji a beau être un lève-tôt, me réveiller avant mon heure n'est pas dans ses habitudes et pour cause! Alors, ce qu'il a trouvé en page 4 doit certainement être très important.

— Je ne sais même pas si on reçoit le journal, dis-je d'un ton plaintif.

— Tout le monde reçoit le journal du samedi; il est gratuit. Il se trouve probablement encore devant ta porte, répond Benji du tac au tac.

— D'accord.

Je parviens à m'asseoir et balance mes jambes hors du lit.

— Je suis debout.

— O.K., va le chercher et rappelle-moi avant de l'ouvrir.

— C'est bon, c'est bon. Salut, Benji.

Lorsque je passe devant la chambre de ma mère pour me rendre dans l'entrée, je vois qu'elle est encore au lit, en train de lire.

— C'était Benji? demande-t-elle sans même quitter son livre des yeux.

C'est probablement un roman minable racontant l'histoire d'une ménagère et d'un officier de marine; il lui a probablement été prêté par Denise, sa meilleure amie et fournisseuse de mauvais romans et de bons cosmétiques.

— Qui d'autre?

Effectivement, comme Benji l'a prédit, *Le Clairon* repose sur le paillasson devant la porte. Le Torchon conviendrait mieux comme nom. Je le ramasse et me dirige vers la table de cuisine.

J'imagine que je devrais me réjouir d'habiter une petite ville où le journal est rempli d'articles à saveur locale plutôt que d'aligner des pages et des pages sur la guerre et le crime. Mais je ne peux m'empêcher de me demander si, à leur réveil, les gens de Toronto, de Vancouver ou de New York doivent subir, à la une de leurs journaux, l'histoire d'une femme qui figure maintenant dans *Le Livre Guinness des records* en tant que propriétaire de la plus grande collection de figurines *Precious Moments*. Probablement pas. Quand je serai célèbre, je me demande s'ils mettront des articles sur moi en première page. Ça changera agréablement la population locale de la vie tristounette de cette petite ville.

J'ouvre le journal à la page 4. D'abord je ne vois rien de spécial, juste un article sur une équipe sportive, une colonne sur une réunion des anciens élèves à l'école secondaire, et un tas d'annonces. Puis je l'aperçois : c'est un entrefilet noyé entre les annonces publicitaires :

Tu crois avoir ce qu'il faut pour devenir une vedette?
La troupe de théâtre communautaire du Réverbère est à la recherche d'acteurs et d'actrices âgées de 12 à 18 ans pour la comédie musicale Le magicien d'Oz. *Aucune expérience requise! Auditions samedi, de 16 h à 20 h.*

* * *

Quinze minutes plus tard, Benji et moi sommes assis par terre dans la cuisine, les yeux fixés sur l'annonce qui se trouve maintenant sur le réfrigérateur. Je l'ai découpée, puis j'ai déplacé les aimants de sorte qu'il n'y a plus que l'annonce sur la porte du congélateur; un nouvel espoir mérite toute la place. Je lis l'annonce encore et encore jusqu'à ce que je connaisse tous les détails par cœur. D'aussi loin que je me rappelle, j'ai toujours adoré *Le magicien d'Oz*. Et je sais que je suis destinée à devenir actrice. Et voilà qu'apparaît une annonce qui m'apprend que je peux allier mon amour pour le magicien à mon désir secret d'être actrice. C'est presque trop beau pour être vrai.

— Vas-tu passer l'audition? dis-je à Benji.

— Je ne sais pas, répond-il en haussant les épaules. Je me disais que je pourrais aider à la confection des costumes.

Benji aime *Le magicien d'Oz* presque autant que moi. Si seulement il n'était pas aussi timide.

— Tu devrais auditionner.

— Je ne sais pas si j'arriverais à chanter devant des gens, avoue-t-il.

— Tu chantes devant moi.

— C'est différent. Ces gens-là seront des étrangers. En plus, ils écouteront des chanteurs dix fois meilleurs que moi durant toute la journée.

— Je trouve que tu as une belle voix.

— Merci, dit Benji. Je vais y penser. Qu'est-ce que je pourrais chanter?

— Ce que tu veux… Peut-être pas *Over the Rainbow*, c'est une chanson de fille.

Benji réfléchit pendant une minute. Je le sais, car il se mordille la lèvre. Il fait toujours ça quand il réfléchit.

— Je pourrais chanter *Ô Canada*. Au moins, je connais toutes les paroles.

— Parfait! Répétons maintenant.

Je me lève d'un bond, mais Benji ne bouge pas et continue à fixer le réfrigérateur du regard.

— Peut-être que je m'en tiendrai aux costumes. J'aime les costumes.

— Je crois que tu devrais aller à l'audition, et si tu as trop la trouille, tu n'auras qu'à donner ton nom pour la confection des costumes.

Benji fronce les sourcils.

— Je ne suis pas un trouillard.

Je lui décoche un grand sourire.

— Alors, prouve-le.

Audition

— C'est si excitant! Je suis tellement fière de vous : passer une audition pour une grande comédie musicale! Ça alors, il y en a du monde! Êtes-vous nerveux? Il ne faut pas.

L'unique raison pour laquelle j'ai invité Mattie Cohen, c'est pour qu'elle motive Benji pendant mon audition. Il a presque fallu que je le traîne hors de la maison, et je sais que, livré à lui-même, il s'inquiétera au point de ne pas pouvoir passer l'audition. Mattie a accepté de nous accompagner pour le distraire. L'ennui, c'est qu'elle commence à me tomber sur les nerfs.

— Je crois que c'est une bonne idée d'avoir tressé tes cheveux; ce sera plus facile pour les membres du comité de sélection de t'imaginer dans la peau de Dorothée. Oh, Clarissa, tu ferais une merveilleuse Dorothée!

Mattie me serre la main. C'est incroyable comme elle a une bonne poigne.

— O.K., O.K., calme-toi, dis-je en marmonnant. On nous regarde.

Je suis surprise de voir autant de monde. Beaucoup de candidats paraissent plus âgés; ils doivent être au deuxième cycle du secondaire. Ils ont probablement déjà joué dans plusieurs comédies musicales. J'essaie de ne pas trop y penser.

Benji a l'air un peu pâle.

— Ça va? dis-je.

Il hoche la tête, mais reste silencieux. Il commence à

7

parcourir le portfolio de costumes qu'il a monté et qu'il compte présenter si tout le reste échoue, si sa voix ou ses nerfs flanchent, par exemple.

— Bon, je crois qu'il faut s'inscrire à la table là-bas et attendre qu'on nous appelle, dit Mattie. Allez, venez.

Mattie se dirige vers la table d'un pas déterminé et tend la main à la dame assise derrière.

— Bonjour, mes amis voudraient s'inscrire pour passer l'audition.

— Est-ce que tu auditionneras aussi? demande la dame.

Elle porte des boucles d'oreilles en forme de masques de théâtre.

— Oh, non. Je suis seulement l'une de leurs admiratrices, glousse Mattie.

Elles rient toutes les deux. Les boucles d'oreilles de la dame oscillent.

— J'aimerais bien avoir mon cercle d'admirateurs, moi aussi! Je m'appelle Carol. Je fais partie du conseil d'administration de la troupe de théâtre communautaire du Réverbère. Avez-vous déjà passé une audition avec nous?

Je secoue la tête. Benji semble incapable de bouger.

Carol nous tend à chacun un formulaire.

— Dans ce cas, vous devez remplir ceci et me le rapporter. Nous avons un peu de retard en ce moment, mais je pourrais vous donner les places de 19 h 10 et de 19 h 20. Ça vous irait?

— Parfait! lance Mattie d'une voix aigüe. Merci, Carol.

Il n'est que 18 h 30. Cela me donne beaucoup trop de temps à ne rien faire d'autre que d'angoisser. Mattie nous trouve un coin tranquille; nous nous assoyons tous les trois et jetons un coup d'œil au formulaire. Participation à des spectacles? Expérience en danse? Registre? Non seulement j'ai l'estomac noué, mais j'ai aussi la gorge sèche maintenant, ce qui n'augure rien de bon étant donné que je dois chanter dans moins d'une heure.

Benji a l'air encore plus mal en point que moi.

— Qu'est-ce que c'est, le registre? murmure-t-il.

— Je ne sais pas, dis-je. Peut-être qu'ils veulent savoir quels genres de chansons tu peux chanter?

Benji fronce les sourcils.

— Ça me paraît bizarre.

— Tu devrais écrire « moyen ». Comme ça, tu ne peux pas te tromper.

C'est donc ce que nous répondons tous les deux à la question portant sur le registre.

— Qu'est-ce que tu vas écrire au sujet de l'expérience en danse? poursuit Benji.

— As-tu déjà pris des leçons de danse? demande Mattie.

— Non, sauf la fois où l'on a dansé en ligne pendant le cours d'éducation physique. Mais je ne pense pas que ça compte.

— Tout compte! insiste Mattie. Écris-le! Et à quels spectacles as-tu déjà participé?

— J'ai joué dans une pièce en 3e année, répond Benji. Toi aussi, Clarissa, tu te rappelles?

— Tu veux parler de celle où on était déguisés en pionniers?

— Je me souviens de ça! s'écrie Mattie. C'était « Les Bâtisseurs »!

Comment fait-elle pour se rappeler ces détails?

— Tu pourrais aussi parler de l'émission de radio, Clarissa, suggère Mattie.

— Pas sûr... Ce n'est pas la même chose que de jouer dans une pièce.

Mattie hausse les épaules et ajoute :

— Au moins, ça t'évitera de laisser une réponse en blanc.

J'écris donc « animatrice d'une captivante émission de radio ». Ce n'est pas tout à fait un mensonge.

Quelqu'un fait des vocalises dans la cage d'escalier. Elle semble très douée, surtout pour les notes aiguës. Sa voix gagne en puissance à mesure qu'elle monte. Moi, ma voix tremble de plus en plus à mesure que je chante haut. Je commence à avoir la gorge très sèche. Heureusement que Mattie nous a suggéré d'apporter des bouteilles d'eau. J'en avale la moitié, un peu trop vite d'ailleurs, et l'eau coule sur mon menton et sur le devant de mon chemisier. Formidable.

Benji ne tient plus en place. Au point que c'est *moi* qu'il rend nerveuse. Si je n'arrive pas à lui changer les idées, nos deux auditions en souffriront; cette année sera aussi ennuyeuse que toutes les autres, et j'aurai raté ma chance de devenir célèbre. Il y a si longtemps que je m'imagine sur une scène, et voilà que l'occasion rêvée se présente... pour jouer dans *Le magicien d'Oz*, rien de moins : mon livre, mon film et maintenant, ma comédie musicale préférée!

— Hé, Benji, pourquoi ne montres-tu pas tes croquis à Mattie?

Le visage de Mattie s'épanouit en un large sourire.

— Oh oui, s'il te plaît! J'aimerais tellement les voir!

D'un bond, Mattie vient se glisser entre nous deux. Normalement, ça m'aurait agacée, mais avoir quelqu'un entre moi et le paquet de nerfs qu'est devenu mon meilleur ami est une bénédiction en ce moment. Benji se détend tandis qu'il commente chacune de ses créations. Mattie lui pose toutes sortes de questions et émet exactement les bruits d'approbation qu'il faut.

Toutes les cinq minutes, une dame munie d'une

planchette à pince et arborant une affreuse permanente s'avance dans le couloir et crie un nom. Les conversations s'interrompent brusquement, et tout le monde regarde la personne appelée rassembler ses affaires et se diriger vers l'auditorium. Puis le son étouffé d'un piano se fait entendre, et tous retournent à leurs occupations. Même si je sais que ça ne sert à rien, je ne peux m'empêcher de surveiller constamment ma montre : 18 h 40, 18 h 45, 18 h 50. Comment le temps peut-il passer aussi lentement?

— Charity Smith-Jones?

Quelqu'un laisse échapper une exclamation admirative, et Mattie agrippe la manche de mon chemisier bien repassé qui me donne un petit air de Dorothée.

— Qu'est-ce qu'elle vient de dire? me siffle-t-elle à l'oreille.

Je n'ai pas besoin de répondre, car la dame s'éclaircit la voix et répète un peu plus fort :

— Charity Smith-Jones? Est-ce que Charity est là?

Au même moment, la porte menant à la cage d'escalier s'ouvre toute grande, manquant Benji de justesse, et la fille aux jolies notes aiguës sort sans se presser. Elle a les plus beaux cheveux roux que j'aie jamais vus, exactement comme Ariel dans *La petite Sirène*. Longs et fournis, ils tombent sur ses épaules en de souples ondulations que seuls des bigoudis chauffants de première qualité peuvent procurer. Denise, la meilleure amie de ma mère, en serait malade de jalousie; elle se teint les cheveux en roux depuis des années.

— Navrée, Bev, je faisais des vocalises, roucoule Charity.

La dame (Bev, apparemment) semble tout à fait charmée.

— Pas de souci, Charity, nous sommes vraiment heureux de te voir ici. Nous croyions t'avoir perdue pour de bon, après toutes ces annonces publicitaires que tu as faites.

Charity rit. Même moi je suis sous le charme.

— Oh, Bev! Tu sais bien que je ne pourrais jamais abandonner le théâtre!

Mattie laisse échapper une longue bouffée d'air lorsque la porte se referme derrière Charity et Bev.

— Vous savez qui c'est? demande-t-elle en haletant. Charity Smith-Jones!

— Oui, j'ai entendu, Mattie.

— Mais sais-tu qui elle *est*? C'est une élève de 10e année à l'école Sir John A., et elle a obtenu le rôle principal de toutes les comédies musicales au programme, même quand elle était en 9e année. Elle fait aussi des publicités. C'est la fille de la pub pour le café… tu sais, celle où on peut gagner quelque chose.

Benji inspire brusquement.

— Je connais cette annonce-là! On y voit une fille avec des cache-oreilles roses! Elle achète un café pour sa mère avec son argent de poche, et elle tombe sur le gobelet qui vaut un million de dollars! C'EST LA FILLE AUX CACHE-OREILLES ROSES!

Il se rappelle les cache-oreilles! Ça, c'est bien Benji.

— Tu te souviens de cette annonce, Clarissa?

Bien sûr que je m'en souviens. Tout le monde connaît cette pub. Elle passe à chaque pause publicitaire. Charity Smith-Jones doit être millionnaire à l'heure actuelle.

— Croyez-vous qu'elle auditionne pour Dorothée? demande Mattie.

Je secoue la tête.

— Sûrement pas, ses cheveux sont trop particuliers. Ceux de Dorothée sont bruns.

— Peut-être qu'ils ont des perruques, dit Benji.

Je lui lance un regard. Benji semble vouloir rentrer sous terre.

— À bien y penser, comme c'est une troupe communautaire, ils n'ont probablement pas les moyens d'acheter des perruques, fait-il remarquer.

Je n'arrive pas à le croire. C'est mon rôle. Je ne vais pas le céder à une vedette de la télé aux cheveux roux. Je rappelle à mes amis que Glinda a les cheveux roux dans le film. Benji et Mattie hochent la tête.

— Tu as tout à fait raison!

— Elle serait parfaite dans le rôle de Glinda!

— Vous savez qui d'autre elle pourrait jouer? demande Benji. Pas dans cette pièce-ci, mais dans une autre?

Mattie et Benji échangent un regard.

— Anne, dans la *Maison aux pignons verts*! lâchent-ils en même temps.

Mattie soupire d'un air nostalgique.

— Elle serait sublime dans le rôle d'Anne. Et Clarissa serait divine dans le rôle de Diana, ajoute-t-elle en croisant mon regard.

— Diana a les cheveux noirs, souligne Benji.

— Ils ont peut-être des perruques! dis-je, un peu trop brutalement peut-être.

Bev réapparaît dans l'embrasure de la porte.

— Clarissa Louise Delaney?

Ça y est. Je parviens à me lever et à marcher jusqu'à la porte, serrant fermement mon formulaire dans ma main. Charity passe devant moi d'un pas léger, tout sourire, avec ses mignonnes fossettes et ses cheveux impeccables.

— Vas-y! Mets le paquet! lance-t-elle.

Facile à dire.

A cappella

À l'intérieur de l'auditorium, le bourdonnement des voix s'éteint. Tout est parfaitement silencieux, comme dans une église ou un tombeau. Je descends l'allée centrale jusqu'à l'avant de la salle, près de la scène, où non pas une, mais cinq personnes me sourient tandis que j'avance. Elles sont assises autour d'une table jonchée de paperasse, de tasses à café, de bouteilles d'eau et d'une boîte de beignes.

— À qui avons-nous l'honneur?

J'avale ma salive dans l'espoir de faire passer ce qui ressemble au plus gros tampon d'ouate du monde dans ma gorge.

— Clarissa Louise Delaney.

Pourquoi suis-je nerveuse? Je ne devrais pas l'être. J'ai fait des choses bien plus difficiles que ça, comme visiter ma mère à l'hôpital, sermonner Terry DiCarlo ou passer deux semaines entières avec Denise. Mais pour une raison que j'ignore, je ne peux empêcher mon cœur de s'emballer. J'ai la gorge serrée et l'estomac noué. Je sens même mon pouls au bout de mes doigts.

— Comment ça va aujourd'hui, Clarissa?

— Bien, étant donné les circonstances.

— Quelles circonstances?

— Je dois chanter devant des inconnus.

Les membres du comité de sélection rient doucement. Je me sens un peu mieux. C'est bien d'avoir le sens de l'humour, non?

Ils se présentent l'un après l'autre : Karen, la metteure en scène; Brian, le directeur musical; Nadine, la chorégraphe; Becky, la régisseuse, et Nelu, l'accompagnatrice.

— L'accompagnatrice?

Nelu me sourit.

— Je vais t'accompagner au piano. As-tu apporté tes partitions?

Je fais non de la tête.

— J'étais censée le faire?

— Non, non, dit Brian, le directeur musical. Tu n'auras qu'à chanter *a cappella*, et nous ferons un test de registre.

Les mots « test de registre » me font l'effet d'un coup de massue. Je ne sais pas exactement ce que ça signifie, mais je n'ai jamais été douée pour les tests-surprises.

— Veux-tu commencer par une scène ou par ta chanson? demande Karen.

— Par une scène, dis-je aussitôt.

Vaut mieux retarder le chant le plus possible, comme ça je pourrai les épater avec mon jeu, et ils se montreront plus indulgents quand je chanterai. Non pas que j'aie une voix désagréable, mais elle n'a rien d'extraordinaire non plus.

Karen, la metteure en scène, me sourit. Elle me tend deux feuilles de papier.

— Super! Je vais te demander de lire deux scènes. La première est celle où Dorothée rencontre l'Épouvantail. Nelu lira les répliques de l'Épouvantail.

Nelu me sourit de nouveau. Elle a un regard amical et des dents très blanches. Je décide que c'est elle que je préfère.

— Aimerais-tu qu'on te laisse une minute pour relire la scène? demande Karen.

— Non, je suis prête.

La perspective de rester plantée là à lire en silence pendant que le comité au grand complet m'observe ne me dit rien du tout. De plus, j'ai vu *Le magicien d'Oz* au moins une centaine de fois. Je pourrais probablement réciter toute la scène par cœur.

— Quand tu veux, dit Karen.

J'inspire à fond tout en me disant de parler lentement et distinctement, et je me lance. Au début, ma voix tremble un peu, et j'ai du mal à quitter le scénario des yeux; mais vers la fin, ma voix claire et forte retentit dans l'auditorium. C'est un sentiment incroyable, d'une grande puissance.

Lorsque j'ai terminé, les membres du comité applaudissent poliment avant d'écrire frénétiquement dans leurs cahiers secrets et sur des feuilles mobiles. Ce que je donnerais pour jeter un coup d'œil à leurs notes!

— Très bien, Clarissa. Je vais maintenant te faire lire une scène de tante Em, dit Karen.

Je manque de m'étouffer avec ma salive, du moins ce qu'il en reste dans ma gorge sèche et crispée.

— Est-ce que ce n'est pas un rôle pour les actrices un peu plus âgées?

Karen sourit, mais je n'arrive pas à déchiffrer son expression. Je reconnais ce type de sourire; ma mère est une habituée de ce sourire à la Mona Lisa impossible à décoder.

— Traditionnellement, oui, mais nous travaillons avec une jeune distribution, et des rôles de tous âges seront joués par de jeunes acteurs. Qui sait, tu ferais peut-être une tante Em ou un Homme de fer-blanc parfait.

— L'Homme de fer-blanc est un garçon.

— L'Homme de fer-blanc sera ce que nous voulons qu'il soit, corrige Karen. Des garçons peuvent jouer des rôles de filles, et des filles peuvent jouer des rôles de garçons. À l'heure actuelle, tout est possible. Voilà pourquoi le théâtre est si excitant : il faut s'attendre à l'inattendu.

— Donc, Dorothée pourrait être jouée par un garçon?

— Peut-être!

J'en doute fortement, mais puisque c'est Karen qui prend les décisions et que je ne veux pas me la mettre à dos, je prétends que j'aime l'idée.

— C'est cool.

Karen rayonne.

— Merveilleux! Maintenant, voyons ton interprétation de tante Em.

Je lis donc le rôle de tante Em, mais je dois dire que le cœur n'y est pas vraiment. J'ai de la difficulté à me mettre dans la peau du personnage. Ses répliques sont tellement ennuyeuses : « Non, Dorothée » par-ci et « pauvre Toto » par-là. Lorsque j'ai terminé, le comité applaudit de nouveau, et Brian me demande ce que je vais chanter.

— *Over the Rainbow*, dis-je.

Tout à coup, je me sens un peu ridicule. Je parie que tout le monde chante *Over the Rainbow*. Peut-être qu'ils se souviendraient davantage de moi si je chantais autre chose, ou du moins qu'ils apprécieraient le changement de rythme. Maintenant, je serai comparée à toutes les autres filles qui ont chanté *Over the Rainbow* avant moi. Tant pis, il est trop tard pour changer d'idée.

— Je l'aurais probablement choisie même si je n'auditionnais pas pour *Le magicien d'Oz*. J'aime beaucoup cette chanson.

Brian me fait un clin d'œil.

— Moi aussi. C'est un classique. Veux-tu que Nelu te

donne la note?

Je secoue la tête et maudis silencieusement ma mère de ne jamais m'avoir fait suivre de leçons de piano. Je serais déjà en voie de devenir une vedette de l'opéra à l'heure actuelle, au lieu de mourir de honte parce que je n'ai aucune idée de la note sur laquelle commencer.

Je dois m'éclaircir la voix à deux reprises, mais lorsque je me mets à chanter, je crois que ça sonne bien. Je regarde au loin dans l'auditorium vide, au-dessus des têtes des membres du comité de sélection. Je constate alors à quel point les sièges sont nombreux. Tandis que je me demande si je pourrais ou non chanter devant une salle comble, ma voix tremble un peu. Je lève les yeux vers le balcon et les fenêtres du fond. J'imagine que je guette un arc-en-ciel ou plutôt un oiseau bleu.

Une fois la chanson terminée, mes joues sont enflammées et je suis assez fière de moi. Encore une fois, on m'applaudit, et Brian se penche pour souffler quelque chose à l'oreille de Nelu. Celle-ci se lève et s'installe au piano.

— Très bien, Clarissa. Maintenant, si tu veux bien, nous allons te faire reprendre la chanson sur un ton différent, annonce Brian aimablement.

— Un ton différent?

Nelu pose les doigts sur le piano et joue un accord, suivi d'une simple note.

— Peux-tu chanter cette note? demande-t-elle.

J'ouvre la bouche et tente d'harmoniser ma voix au son du piano. Ça semble réussi, bien que ce soit juste un peu plus haut que le ton sur lequel j'ai l'habitude de chanter.

— Bien, dit Nelu. Nous allons refaire la chanson, et cette fois je vais t'accompagner. Tu n'as qu'à suivre le piano.

À l'entendre, c'est la chose la plus facile au monde, mais la mélodie est beaucoup plus rapide que dans mes souvenirs, et trop haute. Je chante avec un filet de voix et je manque d'air si bien que je n'arrive pas à prononcer toutes les paroles. Bientôt, je chuchote plus que je ne chante, à bout de souffle. À la fin de la chanson, ma respiration est haletante, comme si je venais de courir le 400 mètres en sprintant tout au long du parcours. Je suis si embarrassée que je voudrais rentrer sous terre; mais je ne peux pas, car je dois encore faire ce qu'on appelle un test de registre.

De nouveaux applaudissements se font entendre, mais ils ne paraissent pas sincères cette fois, pas plus que les sourires des membres du comité. Ceux-ci doivent probablement applaudir après chaque personne qui auditionne, qu'elle soit bonne ou mauvaise. Nelu m'explique comment se déroulera le test de registre, mais j'ai les oreilles qui bourdonnent. Je me retiens tellement pour ne pas pleurer que j'entends à peine ses instructions. Elle joue les notes et je la suis, m'efforçant de libérer les sons voulus malgré l'énorme boule qui s'est formée dans ma gorge.

Après, Karen me dit quelque chose à propos d'une liste et d'un appel téléphonique et elle me remercie beaucoup d'être venue. Mais je devine à son sourire indulgent et à la pitié qui se lit dans le regard de Nelu que le téléphone ne sonnera pas. L'effort que je dois fournir pour retenir mes larmes est tel que j'en ai la gorge qui brûle. Les images de toute ma vie, de la vie que j'étais censée mener, défilent devant mes yeux : moi, saluant sur scène, pendant que mes admirateurs lancent des roses à mes pieds; moi, un soir de première; moi, à l'émission d'Oprah; moi, recevant mon premier Oscar. Elles disparaissent toutes comme des mots écrits dans le sable balayés par les vagues.

Karen se lève et me serre la main. Je lui souris faiblement avant de tourner les talons et de décamper aussi vite que possible sans courir.

Anéantie

À mon retour, ma mère et Denise rigolent dans la cuisine. C'est embarrassant d'entendre une adulte glousser comme ça, surtout quand c'est sa propre mère.

— Qu'est-ce qu'il y a de si drôle?

Ma mère se tourne vers moi et m'adresse un grand sourire.

— Te voilà! Future star de cinéma et lauréate de nombreux trophées! Alors, comment ça s'est passé?

Elle m'attire vers elle et tire d'un petit coup sec sur l'extrémité d'une de mes tresses.

— Mignon, dit-elle.

— Merci.

Puis elle commence à défaire mes tresses et passe ses doigts dans mes cheveux. Je ne bronche pas, même si je suis un peu trop vieille pour ça, car elle a perdu tous ses cheveux il y a quelques mois. Il y a un peu plus d'un an, ma mère a souffert d'un cancer. Elle a eu trois traitements, et les médecins disent que tout se déroule « comme prévu », ce qui est une bonne nouvelle, bien que personne n'ait encore osé prononcer le mot magique : *rémission*. Mais à l'instant où ce sera le cas, Denise dit « qu'on organisera pour ta mère la plus grosse fête de rémission jamais donnée! »

Denise adore les fêtes, pourvu que ce ne soit pas pour célébrer son anniversaire. D'aussi longtemps que je me souvienne, l'anniversaire de Denise a été souligné par un gâteau disant 29... *encore une fois!* et une bouteille de vin qu'elle partageait avec ma mère devant la télé. Franchement pathétique, si vous voulez mon avis.

Ma mère n'en parle jamais, mais je sais que ses cheveux lui manquent. C'est une ancienne reine de beauté et une coiffeuse reconnue. Les cheveux pour elle, c'est ce qu'il y a de plus précieux. Certains diraient que la vie est ce qu'il y a de plus précieux, et bien sûr ils ont raison, mais ils n'ont probablement jamais perdu leurs cheveux.

Au début, Denise a collé des photos de Halle Berry et de beaucoup d'autres actrices aux cheveux courts sur le miroir de la salle de bains. Maintenant que ses cheveux ont recommencé à pousser, ma mère est aussi jolie qu'elles. Elle affirme qu'elle aime cette coiffure toute simple, mais la semaine dernière j'ai trouvé son vieux fer à lisser et ses bigoudis chauffants dans la poubelle. Je crois que ça la rendait triste de les voir tous les matins dans la salle de bains, sachant qu'elle ne pourrait pas les utiliser avant longtemps.

— Allez, la puce, ne nous fais pas languir. On ne rajeunit pas, tu sais, dit Denise.

— C'était bien, dis-je simplement.

— Bien? répète Denise.

Je lève les épaules.

— Ouais, bien.

Ma mère m'embrasse dans le cou.

— Je suis désolée, ma chouette.

Je me dégage brusquement.

— Désolée pour quoi? J'ai dit que ça s'était bien passé!

— D'accord, d'accord! Ne t'énerve pas! C'est juste que tu semblais un peu déprimée. Mais si tu dis que ça s'est bien passé, alors tant mieux. Je suis contente.

— Pour ta première audition, tu mérites une gâterie! lâche Denise. Tiens, prends une délicieuse galette de riz à saveur de caramel!

Elle me tend le paquet, et elle et maman éclatent de rire. J'imagine que j'ai manqué quelque chose, parce que les galettes de riz n'ont rien de drôle ni de délicieux.

— Je vais me coucher.

— Déjà? s'étonne Denise. Allez, on va se faire une petite soirée de filles à la maison.

— On en a tous les soirs, des soirées de filles à la maison, dis-je entre mes dents.

— Eh bien! On ne se laissera pas démoraliser par ce genre d'attitude, n'est-ce pas, Annie? dit Denise.

Ma mère lui lance une barre protéinée.

— Chut! fait-elle d'un air mécontent.

Elle me tend la joue. J'y dépose un baiser avant de tourner les talons. Elle me prend par le bras et me regarde droit dans les yeux, comme le font les mères quand elles tentent de découvrir ce que l'on cache.

— Tu es certaine que ça s'est bien passé?

— Puisque je te le dis.

* * *

Et pourtant, ça ne s'est *pas* bien passé. Tout le contraire. Mais jamais je n'irais dire ça à ma mère. Je ne veux pas qu'elle s'inquiète de moi. Il n'y a pas de comparaison possible entre une mauvaise audition et le fait d'avoir un cancer et de perdre tous ses cheveux.

Une fois dans ma chambre, j'expédie mon sac dans le coin, enlève mes chaussures et me jette sur le lit, tout habillée. Je donne quelques coups de poings dans mes oreillers, mais même ça ne m'aide pas à me sentir mieux. Je me sens nulle, pathétique et tout sauf *bien*. *Le magicien d'Oz* repose sur ma table de chevet et semble me narguer. Je fourre le livre sous le lit, derrière un tas de boîtes à chaussures vides que ma mère croit que j'ai jetées depuis longtemps. C'est peut-être le signe qu'il est temps pour moi d'aller de l'avant, de prendre un peu de maturité ou du moins de lire autre chose.

On sonne à la porte. C'est Benji, j'en suis sûre. Je m'en veux de l'avoir traité comme je l'ai fait en revenant de l'audition. C'est à peine si j'ai prononcé un mot, car j'avais peur d'éclater en sanglots si j'ouvrais la bouche. Heureusement que Mattie est un véritable moulin à paroles. Si elle n'avait pas été là, le silence aurait été intolérable. Je voudrais me coucher et oublier tout ce qui s'est passé, comme un mauvais rêve. Mais en entendant ma mère bavarder avec Benji dans la cuisine, je me ressaisis et m'efforce d'afficher une mine souriante. Quelques minutes plus tard, on frappe timidement à ma porte.

— Entre.

Benji s'avance discrètement et marche vers mon lit sans dire un mot. Il s'allonge près de moi, et nous restons côte à côte pendant un instant avant qu'il demande :

— Alors, comment ça s'est passé?

— Pas très bien. La chanson était très haute et ma lecture, pas très bonne.

Ce n'est pas aussi terrible que je l'aurais cru de le dire tout haut. Honnêtement, c'est presque un soulagement.

— Je suis désolé, Clarissa.

— Ce n'est pas ta faute.

— Moi, ç'a été, dit Benji. J'ai à peine regardé le comité de sélection, mais au moins je me suis souvenu des paroles de la chanson. Et je n'ai pas vomi.

— Leur as-tu montré tes croquis?

Benji fait signe que non.

— J'ai oublié. J'étais tellement content que tout soit fini

que j'ai détalé comme un lapin. Mais je suis heureux que tu m'aies poussé à y aller. Chaque jour, on devrait faire quelque chose qui nous effraie.

— Qui a dit ça?

— Je ne sais pas. C'est une phrase connue. Oprah, peut-être?

— C'est le genre de choses qu'elle dirait, en effet. Benji?

— Oui?

— Ne répète à personne ce que je viens de te dire, à propos de la chanson et de la lecture.

Benji trace une croix sur son cœur avec son doigt.

— Jamais, jure-t-il.

Âneries

Je ne suis pas du tout surprise qu'on ne m'ait pas rappelée, mais ça m'attriste quand même. Et je n'ai vraiment pas envie d'en parler lorsque Mattie téléphone.

— Ne te décourage pas. Le fait que tu n'aies pas décroché de rôle ne veut pas dire que tu n'es pas une bonne actrice. Ils choisissent probablement des élèves du deuxième cycle, de toute façon.

— C'est vrai, dis-je en soupirant.

— De plus, ce ne sont pas tous les rôles qui demandent que tu saches chanter. Tu n'aimes pas chanter, n'est-ce pas?

Je lève les épaules.

— Pas vraiment.

— Alors c'est un signe du destin que tu n'aies pas été choisie.

Peut-être bien, mais n'empêche que c'est décevant quand même.

— On devrait faire quelque chose pour te changer les idées, suggère Mattie. Veux-tu qu'on regarde un film?

— Pas vraiment.

— Faire une promenade, peut-être? On pourrait s'acheter des barbotines…

— O.K. J'appelle Benji.

— Oh, dit Mattie d'un ton hésitant. C'est que, j'espérais qu'on serait entre filles… S'il te plaît? Juste pour cette fois?

Je me sens mal de ne pas appeler Benji, mais on ne peut pas tout faire ensemble. De plus, Mattie s'est montrée très généreuse en venant à l'audition.

— Bon, d'accord.

* * *

Une demi-heure plus tard, je me retrouve assise sur un banc au parc de planche à roulettes à regarder un groupe de garçons essayer de se tuer sur la rampe. Du moins, c'est l'impression qu'ils me donnent.

— Pourquoi sommes-nous ici déjà?

— C'est un endroit agréable pour s'asseoir, répond Mattie avec un haussement d'épaules, mais le rose de ses joues la trahit.

— Attends, est-ce qu'on est venues ici pour regarder des garçons?

— Non! s'écrie Mattie. Je me suis simplement dit qu'on pourrait profiter du beau temps.

— Profiter de la vue, plutôt.

Mattie fait semblant d'être offusquée pendant deux bonnes secondes avant que sa mine sévère ne se transforme en un sourire penaud.

— O.K., O.K. J'ai entendu Josh donner rendez-vous à ses amis ici, et je me suis dit qu'on pourrait passer, tu sais, comme si de rien n'était.

— Josh? Tu aimes Josh Simmons?

— Pourquoi pas? Il est charmant!

Je m'étrangle de rire.

— Si tu aimes le genre planchiste abruti!

— Ce n'est pas un planchiste abruti! Très bien : qui aimes-tu, toi?

— Personne, dis-je, peut-être un peu trop rapidement.

Mattie sourit malicieusement.

— Pas même Michael?

— Pas du tout.

Ce n'est pas tout à fait faux. Michael Greenblat est le garçon le plus gentil que je connaisse (à part Benji). C'est probablement le plus beau aussi, ou du moins le serait-il s'il ne portait pas tout le temps des vêtements de sport. Benji croit que Michael a désespérément besoin d'une métamorphose, mais Michael n'est pas le genre de gars qui nous laisserait lui dire quoi porter. Je souris, imaginant Benji et Michael faisant les boutiques ensemble.

— Qu'est-ce qui te fait sourire? demande Mattie. Tu l'aimes! Tu l'AIMES! Je le savais. Ça va, Clarissa. Tu peux m'en parler. Il n'y a rien de mal à avoir un béguin, surtout pour Michael. Il est des nôtres.

Mattie a prononcé le mot « nôtres » tout bas, comme si c'était quelque chose de sacré. L'année dernière, Mattie, Michael et moi avons vengé l'honneur (pour ne pas dire les côtes) de Benji, qui était devenu la dernière victime de Terreur DiCarlo (littéralement, car cette brute a été renvoyée de l'école). Pendant un moment, Michael et moi avons été des héros; quant à Mattie, elle nous a fait promettre de ne dire à personne qu'elle était de mèche avec nous. Sa participation à un tel coup, même si c'était pour une bonne cause, aurait pu ternir sa réputation sans tache. Je n'aurais pas pu réussir sans eux. Ainsi, nous sommes probablement liés pour la vie de façon un peu cosmique. Peut-être que lorsque j'aurai 45 ans et que je vivrai quelque part dans une somptueuse villa avec tous mes domestiques, Mattie m'appellera pour me demander un rein ou quelque chose du genre, et je serai obligée de lui donner l'un des miens.

Mattie est convaincue que Michael est amoureux de moi, mais mis à part le fait qu'il m'ait offert quelques cadeaux bizarres, il ne s'est rien passé. Pour être franche, je suis plutôt soulagée. Une fois l'été terminé, les choses sont redevenues comme avant, et j'étais libre de penser ou non à Michael sans que personne ne le sache. Mais nous voilà, presque un an plus tard, et c'est vrai que Michael est plutôt séduisant, tandis qu'il se tient en équilibre sur sa planche à roulettes.

— Si je devais en choisir un, dis-je enfin, je prendrais Michael…

Mattie pousse un petit cri aigu.

— Je le *savais*!

— MAIS, dis-je aussitôt en brandissant mon doigt sous son nez, il ne m'intéresse pas. Ni lui ni personne. Un point c'est tout.

Mattie soupire.

— D'accord. Mais tu me le dirais si tu étais amoureuse de quelqu'un, n'est-ce pas?

Je réfléchis. L'année dernière, jamais je ne lui aurais fait la moindre confidence. Mais, étonnamment, Mattie Cohen est en train de devenir l'une de mes meilleures amies. Après Benji, bien sûr. Mattie peut être très drôle, et ce ne sont pas les sujets de conversation qui manquent avec elle.

— Bien sûr.

Mattie sourit et glisse son bras sous le mien. C'est un geste à la fois étrange et amical. Je suis contente que les gars soient trop pris par leurs planches pour nous remarquer.

— Super! glapit Mattie. L'amitié repose sur la confiance.

* * *

En rentrant chez moi, je découvre que la moitié du groupe de coureuses de ma mère squatte la cuisine. Elles s'entraînent pour la Course à la vie qui se tiendra en octobre. J'ai été la première étonnée en apprenant que ma mère avait décidé de créer une équipe, mais lorsque Denise a accepté d'en faire partie, je crois que je suis restée bouche bée pendant une journée entière. Denise ne peut pas marcher vite de la voiture à la maison sans être essoufflée; comment pourra-t-elle faire une course?

— Pas besoin de courir durant toute la course, bien des gens marchent, a expliqué Denise. C'est l'intention qui compte. Enfin, l'intention et les commanditaires. De plus, ça ne me ferait pas de tort de me tonifier un peu.

Denise a fléchi le bras et a tapoté la peau là où aurait dû se trouver un triceps. Dégoûtant.

Ma mère et Denise sont très bien placées pour recueillir beaucoup de dons. Ma mère a installé, à la réception du Bazar Coiffure, un présentoir avec des prospectus qui donnent de l'information sur la façon de contribuer. Toutes les clientes de ma mère savent déjà qu'elle a eu un cancer, et comme elles l'adorent, elles donneront toutes un petit quelque chose, bien sûr. Quant à Denise, si elle arrive à vendre des rouges à lèvres sans problème, convaincre les gens de faire un don pour soutenir sa meilleure amie dans sa lutte contre le cancer sera un jeu d'enfants.

— Hé, Minipop!

Jamais je n'aurais cru que c'était possible de rencontrer une personne plus agaçante que Denise. Eh bien! Je n'avais pas encore fait la connaissance de Janine. Après l'entraînement, Janine et Denise viennent prendre le thé et manger des barres protéinées, et elles envahissent la cuisine avec leurs potinages et leurs séances d'étirement. Ça sent le Lycra dans toute la pièce. Pour atteindre la boîte de céréales, je dois me pencher et passer sous la jambe de Janine appuyée sur le comptoir tandis qu'elle s'étire les muscles des jambes.

Je marmonne une réponse et fouille dans le réfrigérateur, à la recherche de je ne sais quel substitut de lait auquel ma mère nous soumet cette semaine. On dirait du soya. Bof, c'est quand même mieux que du lait de chèvre.

— Ta mère nous a dit que tu allais devenir une grande vedette, piaille Janine.

— Je ne sais pas, dis-je à contrecœur. Je n'ai pas encore été acceptée.

— Quoi, tu rigoles? s'écrie Denise. Avec toutes les scènes que tu nous fais! Bien sûr qu'ils vont t'accepter!

Les dames rient sottement de la mauvaise blague de Denise.

— Plus tard, on pourra dire qu'on vous a connus tout petits, Benji et toi, dit ma mère en souriant.

— Qui est Benji? demande Janine. Ton petit ami?

Je roule les yeux.

— Non, ce n'est qu'un ami.

Ça fait sept ans que tout le monde présume que Benji est mon petit ami, et j'ai l'habitude maintenant.

— Oh, bien sûr, pour l'instant, dit Janine qui se penche et m'adresse un clin d'œil. Mais tu aimerais bien qu'il soit plus que ça, non?

— À ta place, je ne retiendrais pas mon souffle, dit Denise. Tomber amoureuse de Benji, c'est le désastre assuré. Vous vous souvenez de George Blakely?

Elle lance un regard à Janine et à ma mère, et toutes les trois hochent la tête en laissant échapper des murmures tristes.

— Je ne suis pas amoureuse de Benji. Je ne suis amoureuse de personne, point à ligne.

— Tant mieux pour toi, Minipop. L'amour, ça ne vaut pas la peine de s'embêter avec ça. Prends mon mari, Gary. Impossible de trouver un homme moins dégourdi que ça. Il passe la moitié du temps au travail, et l'autre moitié avec les gars à faire Dieu sait quoi. Je serais probablement mieux avec une vadrouille. Mais j'aime ce type, alors voilà.

Pauvre Gary. Je me ferais rare aussi si Janine était ma femme.

— Ne fais pas peur à cette pauvre petite, Janine! dit Denise. Certains hommes valent largement la peine. Doug, par exemple... Qu'en penses-tu, Annie?

Les deux femmes regardent ma mère d'un air entendu; celle-ci est restée étrangement silencieuse durant tout ce temps.

Ma mère affiche son sourire serein à la Mona Lisa.

— Il est ce qu'on pourrait appeler un bon parti, renchérit Denise.

— Un bon parti? Un très bon parti, tu veux dire! ajoute Janine en secouant la tête.

— Ma chérie, cet homme-là, c'est le gros lot!

Elle tape dans la main de Denise, et les deux amies hurlent de rire.

À mon avis, il y a deux personnes de trop dans la cuisine. Maman me jette un regard et me fait un clin d'œil.

— Annie, peux-tu rafraîchir un peu ma coupe de cheveux? demande Janine.

— Bien sûr. Je vais préparer mes affaires.

Ma mère descend dans le Bazar Coiffure tandis que Denise prend une troisième barre protéinée.

— Si tu te fais couper les cheveux, autant rester moi aussi et bavarder un peu, dit-elle.

Janine me sourit.

— Qu'en dis-tu, Minipop? Tu veux te joindre à nous pour placoter entre filles?

J'ai passé beaucoup de temps avec des filles aujourd'hui. De plus, il y a un million de choses que j'aimerais mieux faire plutôt que de discuter ménopause ou rendez-vous galants après 40 ans avec Denise et Janine. Heureusement, mon voisin d'à côté me fournit l'excuse parfaite.

— Non, merci. J'ai dit à Benji que je passerais.

Et avant que quiconque puisse y aller d'une autre ânerie, je file.

Absent

— Mais bon sang, qu'est-ce qui se passe?

Je recule, surprise d'apercevoir le père de Benji de l'autre côté de la porte. Il a les cheveux ébouriffés et l'air bougon, et sa joue mal rasée est marquée par les plis de l'oreiller. Normalement, il devrait être au travail à cette heure-ci. Il doit travailler de nuit cette semaine, ce qui signifie que j'ai interrompu son sommeil. Réveiller M. Denton, c'est comme réveiller un ours; un gros ours qui joue au hockey. À éviter, si possible. Ce n'est pas pour rien que ses anciens coéquipiers de hockey l'appelaient le Dentonateur; des années après avoir joué les fiers-à-bras dans l'équipe locale junior A, il ne fait pas de doute à le voir qu'il pourrait encore expédier l'ennemi dans le cercle arctique d'un coup d'épaule.

— Oh, navré, monsieur Denton. Je cherchais Benji.

— Il n'est pas là. Il est allé au théâtre faire je ne sais trop quoi.

— Au théâtre?

Le Dentonateur grogne.

— C'est ce qu'il a dit. J'ai pensé que tu y allais avec lui. Tu n'étais pas au courant? Eh bien?

Je suis tellement abasourdie que je mets un moment à me rendre compte que le Dentonateur me dévisage, attendant ma réponse.

— Je ne sais pas trop, monsieur Denton. Il ne m'a rien dit au sujet du théâtre.

Le Dentonateur fronce les sourcils.

— Hein? Je croyais que vous étiez liés par le cerveau, tous les deux.

C'est bizarre. Benji ne fait jamais rien sans m'en parler. Pourquoi serait-il allé au théâtre sans moi? Mais il faut dire que je suis allée au parc avec Mattie sans l'inviter. Un sentiment de culpabilité m'envahit soudainement. Peut-être qu'il a appelé et qu'il a découvert que j'étais sortie avec Mattie. Peut-être qu'il nous a vues quitter la maison. Peut-être que c'est le karma.

— Est-ce qu'il a dit quand il reviendrait?

— Non, mais je lui dirai que tu es venue.

Et sur ce, le Dentonateur ferme la porte, retournant probablement à sa chambre d'un pas lourd pour hiberner.

* * *

Je dois faire quelque chose pour chasser de mon esprit la mystérieuse sortie de Benji au théâtre. La télévision est inefficace. Les devoirs aussi, bien entendu. Comment suis-je censée me concentrer sur des exposants quand mon meilleur ami me cache quelque chose? Je n'arrive même pas à vernir mes ongles d'orteil. Où est Benji? Qu'est-ce qui le retient aussi longtemps? Je m'installe dans la salle à manger afin de voir la porte latérale des Denton, la seule qu'ils utilisent. Quand Benji rentrera, je serai la première à le savoir.

Le temps passe : 16 h, puis 16 h 30, et bientôt il est 17 h. J'entends ma mère qui bavarde avec une cliente, et leurs rires montent du sous-sol jusqu'à la salle à manger par les évents d'aération. C'est un bruit agréable. Ma mère a presque repris son travail à temps plein. Au début, elle avait peur que ses clientes se trouvent une autre coiffeuse. Elle sous-estime le pouvoir d'un bon massage du cuir chevelu. Et des bougies à la vanille.

Incapable de résister une seconde de plus, j'enfile mon blouson, descends l'escalier du sous-sol en courant et passe la tête dans le Bazar Coiffure.

— Maman? Je vais au théâtre.

Ma mère lève les yeux tout en séchant les cheveux de Mme Seto.

— On va bientôt souper, dit-elle.

— Je n'en ai pas pour longtemps.

Mme Seto se redresse, rejetant ses cheveux fraîchement coupés derrière ses épaules.

— Clarissa, il paraît que tu as auditionné pour la comédie musicale.

Je décoche un regard à ma mère. Je sais qu'elle est coiffeuse, mais est-ce qu'il faut vraiment que tout le monde soit au courant de ce que l'on fait?

— Oui, dis-je lentement. Mais je ne crois pas que j'aurai un rôle.

— Dommage, poursuit Mme Seto. Je suis régisseuse pour le spectacle, et si tu veux y participer, nous avons toujours besoin de gens pour aider dans les coulisses, ou pour s'occuper des costumes et des accessoires.

Les costumes! Bien sûr! Benji s'est probablement rendu au théâtre pour présenter ses croquis. C'est si évident que je me sens ridicule de ne pas y avoir pensé plus tôt. J'éprouve un tel soulagement et une telle reconnaissance envers Mme Seto que je lui réponds que je vais réfléchir à sa proposition. C'est peu probable que je l'accepte, cependant. Ma place est *sur* la scène, pas derrière.

* * *

Je vais quand même au théâtre, question de raccompagner Benji. Je suis tellement fière de lui. Benji est vraiment un grand artiste. Il dessine toutes sortes de choses, des bandes dessinées aux costumes en passant par les cartes amusantes. S'il n'était pas aussi timide, peut-être qu'il serait davantage reconnu. Parfois, je ne le comprends pas. Si je possédais ne serait-ce que la moitié de son talent pour le dessin, je le montrerais au monde entier, c'est certain. Ce doit être bien d'être bon en quelque chose. J'espérais que pour moi, ce serait le théâtre, mais ça ne semble pas parti pour ça. Si seulement je savais chanter. Je parie que si ma mère m'avait inscrite à des leçons de chant quand j'étais petite, je serais aussi bonne que Charity Smith-Jones. Et peut-être que c'est moi que l'on verrait dans la pub du café.

Étonnamment, il y a beaucoup de monde dans le stationnement du théâtre. Des gens se tiennent en groupes de deux ou trois près des marches de l'entrée et bavardent. Je me fraye un passage parmi eux jusqu'aux grandes portes à double battant et entre. Dans le hall, un bureau se trouve devant les portes de l'auditorium, exactement comme lors des auditions. L'affiche indiquant *CHUT! AUDITIONS EN COURS!* est toujours collée sur le devant, comme hier. J'entends des voix étouffées venant de l'auditorium, mais il n'y a personne dans le hall.

Je me demande s'ils ont déjà commencé les répétitions. Ça me paraît beaucoup trop tôt après les auditions, mais qu'est-ce que je connais au théâtre? Je ne suis même pas fichue de décrocher un rôle dans un petit spectacle communautaire. Je sens la mauvaise humeur monter en moi comme un orage au mois d'août, mais j'essaie de la chasser. Si seulement je pouvais trouver Benji, on partirait et je continuerais à passer une belle journée. Le fait de me retrouver au théâtre me rappelle à quel point mon audition a été désastreuse. C'est sûrement ce que ressentent les criminels quand ils reviennent sur les lieux de leur crime.

Le tableau de liège à côté de la fontaine est tapissé d'affiches annonçant des leçons de musique et des clubs artistiques. Qu'est-ce que ça peut faire que je ne sois pas une bonne actrice? Je pourrais apprendre à jouer d'un instrument. Ce serait vraiment cool de jouer du violon. Je songe à déchirer l'une des petites bandes de papier sur laquelle est inscrit le numéro de téléphone d'une professeure de musique nommée Mlle Bell. Puis j'aperçois l'horaire. En haut, on peut lire : *DEUXIÈMES AUDITIONS POUR LE MAGICIEN D'OZ*. Plus bas se trouve une liste de plages horaires à côté desquelles on a inscrit des noms au crayon. Au milieu de la feuille, à côté de la plage 15 h à 17 h, figure le nom de Benjamin Denton.

Affront

Je fixe toujours l'horaire des deuxièmes auditions lorsque les portes s'ouvrent brusquement et que des gens sortent en masse de l'auditorium. D'un bond, je m'éloigne du babillard, non sans avoir déchiré l'un des bouts de papier sur lequel est écrit le numéro de téléphone de Mlle Bell. Je l'étudie attentivement, comme si j'essayais d'apprendre le numéro par cœur. Quelqu'un portant des chaussures aux lacets défaits s'arrête à quelques pas de moi. Je reconnaîtrais ces souliers n'importe où. Benji est la seule personne que je connais qui peut porter des chaussures sans les attacher et sans trébucher constamment.

— Clarissa? Qu'est-ce que *tu* fais ici?

Ai-je détecté un peu de soupçon dans sa voix? Je lève les yeux. Benji est tout rouge.

— Et toi, qu'est-ce que tu fais ici?

Benji jette un regard d'impuissance sur l'horaire. Il n'y a rien à ajouter. Nous savons tous les deux que je l'ai vu.

— Oh, oui, ta deuxième audition.

— J'allais t'en parler… commence Benji tout bas, mais je l'interromps.

— Quand?

Benji hausse les épaules. Il a l'air malheureux. Je m'en veux. À la place de Benji, est-ce que j'aurais parlé de la deuxième audition? Probablement pas. Il se préoccupe toujours de la réaction des autres. Il est temps de changer de tactique.

— Alors? Comment ça s'est passé?

Benji s'anime un peu, mais il paraît encore hésitant.

— À vrai dire, je crois que ça s'est très bien passé.

Un sourire éclaire son visage.

— Très, très bien, ajoute-t-il.

J'éprouve une telle jalousie que mon cœur bondit dans ma poitrine.

— Vraiment? C'est super.

Mon commentaire sonne un peu forcé, mais Benji ne semble pas s'en apercevoir.

— Et toi, qu'est-ce que tu fais ici? demande-t-il de nouveau.

— J'ai cru que tu étais venu porter tes croquis. Je suis venue te chercher.

Le sourire de Benji s'élargit.

— Merci.

D'autres personnes sortent de l'auditorium, y compris Charity Smith-Jones. Elle nous aperçoit et nous salue de la main.

— Hé, Benjamin. J'ai beaucoup aimé ce que tu as fait tout à l'heure. Bien joué!

Benji rougit.

— Merci, Charity. Tu as été très bonne. J'espère que tu décrocheras le rôle.

Charity lance un regard à ses amis par-dessus son épaule; ils sont tous plus âgés qu'elle. Elle se penche et murmure :

— Ne va pas leur raconter que je t'ai dit ça, mais j'espère que toi aussi, tu auras le rôle.

Elle lui fait un clin d'œil et s'éloigne en trottant pour rejoindre les autres qui exécutent ce qu'on pourrait probablement appeler la danse de l'audition.

À la seconde où elle est hors de portée de voix, je me

retourne et regarde Benji d'un air mécontent.

— *Hé, Benjamin? Merci, Charity?* Vous avez l'air de bien vous entendre tous les deux!

— Elle est très gentille, déclare Benji. Et c'est une excellente chanteuse.

Il fait une pause avant d'ajouter :

— Elle obtiendra probablement le rôle de Dorothée. Navré.

— Ce n'est pas ta faute.

Je soupire même si, à mon avis, c'est le genre de commentaire qu'il aurait pu garder pour lui.

— Allez, raconte-moi ce qui s'est passé, dis-je à contrecœur.

Il s'avère qu'on l'a rappelé pour le rôle du Lion poltron. Il a dû apprendre un bout de chanson et une partie de la chorégraphie. Puis on lui a fait échanger des répliques avec Charity et une autre fille dont je n'ai jamais entendu parler.

— Ça alors, Benji. C'est merveilleux.

— Je suis désolé de ne pas t'en avoir parlé avant, Clarissa. Je voulais le faire, mais Mattie a dit...

J'arrête de marcher.

— Attends... *Mattie* a dit? Mattie était au courant?

— Il fallait que je le dise à quelqu'un, répond Benji d'un ton plaintif. Mais comme je savais que tu étais déçue de ton audition, j'ai appelé Mattie pour lui demander quoi faire.

Et tout à coup, j'ai l'impression qu'une série d'ampoules s'allument au-dessus de ma tête, comme dans les bandes dessinées. C'est Mattie qui a insisté pour ne pas appeler Benji. C'est Mattie qui voulait qu'on sorte et qu'on aille au parc, situé à l'opposé du théâtre. Tout ça n'était qu'un complot pour me laisser dans l'ignorance.

— Clarissa, s'il te plaît, ne te fâche pas. Tu sais bien que ça t'aurait bouleversée! J'ai vu ton visage tout à l'heure, tu étais bouleversée! Je ne voulais surtout pas te blesser…

— Je sais, dis-je d'un ton maussade.

— Je déteste ça quand tu es furieuse.

— Je ne suis pas furieuse.

Et c'est vrai. Je ne suis pas furieuse. Pas contre lui.

* * *

Durant le reste du trajet à pied jusqu'à la maison, je tente de convaincre Benji que je ne suis pas fâchée, et de faire comme si tout était normal entre nous. C'est la meilleure interprétation de ma vie. Si seulement le comité de sélection pouvait me voir maintenant.

Dès que j'arrive chez moi, je me précipite sur le téléphone.

— Hé, jeune fille, le souper sera servi dans deux minutes…

— Une seconde, maman!

Je fais un saut de côté pour l'éviter et compose le numéro de Mattie sans même prendre le temps d'enlever mon blouson ou mes chaussures.

Mattie décroche à la deuxième sonnerie.

— C'est Clarissa.

— Salut, Clarissa! Quoi de neuf?

— Tu m'as dit que tu voulais sortir entre filles.

— Je ne comprends pas…

— Cet après-midi! Au parc! Tu as dit que tu voulais qu'on soit entre filles!

Je crie maintenant. Ma mère entre dans le salon en fronçant les sourcils.

— Clarissa, mais veux-tu me dire ce qui…

— Tu m'as menti! Tu savais que Benji avait été rappelé et tu ne voulais pas que je le sache, alors tu m'as menti! Et tu as persuadé Benji de me mentir!

— Non, ce n'est pas vrai, proteste Mattie.

— Oui, c'est vrai!

— Benji craignait que tu sois bouleversée. Et tu vois, tu l'es! Tu lui aurais gâché son plaisir d'avoir été rappelé!

Je suis tellement offusquée que je ne sais même pas quoi dire.

— Il avait besoin de ton soutien, poursuit Mattie, mais tu aurais piqué une crise. Alors je lui ai dit d'attendre. Ça valait mieux pour toi et pour Benji! Si seulement tu voulais te calmer et me laisser t'expliquer ce qui s'est passé, je suis sûre que tu comprendrais.

— Ne me dis pas ce qui vaut mieux pour moi! Tu me connais à peine! Et tu ne connais pas Benji aussi bien que moi! Jamais je ne lui ferais de la peine, je suis contente pour lui. La seule personne à qui j'en veux, c'est toi.

— Clarissa, je peux tout t'expliquer, gémit Mattie.

— Qu'est-ce que tu as dit cet après-midi? L'amitié repose sur la confiance? Comment veux-tu que je te fasse confiance maintenant?

Voilà. Je lui ai cloué le bec. Je raccroche brusquement et prends une grande respiration. J'ai tellement crié que j'en ai mal à la gorge. Ma mère me dévisage.

— Ne pose pas de questions, dis-je pour la mettre en garde.

— Tous ces cris m'ont coupé l'appétit. Je pense avoir le droit de savoir pourquoi mon souper vient d'être gâché.

— Peut-être que tu n'aurais pas dû écouter aux portes.

Ma mère croise les bras et me fixe du regard. Ses cheveux courts lui donnent un air encore plus dur quand elle est en colère.

— Ça suffit, Clarissa. J'en ai assez entendu comme ça. Et je n'ai que faire de tes remarques insolentes.

Je serre les dents et m'oblige à rester silencieuse. Si je réplique, ce sera encore pire. Pourquoi faut-il que tout aille si mal tout à coup? Est-ce que ça ne suffit pas que Benji ait été rappelé et pas moi? Et pourquoi est-il allé le dire à Mattie et pas à moi? Pourquoi a-t-il fallu qu'ils élaborent un plan pour ne rien me dire? Et ma mère qui est furieuse maintenant. Je voudrais pouvoir appuyer sur le bouton d'avance rapide jusqu'à mon 25e anniversaire. Ou au moins jusqu'à l'an prochain.

Amertume

J'essaie de me calmer dans la baignoire. Ma mère prétend que le meilleur moyen de se détendre est de prendre un bain chaud. Je ne comprends pas comment ni pourquoi ça marche, mais c'est le cas. Je m'affaire à enlever le vernis que j'ai appliqué sur mes ongles d'orteil la semaine dernière lorsque ma mère frappe à la porte.

— Téléphone!

— Je suis occupée, dis-je entre les dents.

— Je ne t'entends pas.

— Je suis occupée! dis-je d'une voix forte.

— C'est Benji.

Je m'extirpe de la baignoire, m'enveloppe dans mon peignoir, ouvre la porte et saisis le téléphone.

— Je prenais un bain.

— Désolé. Je peux te rappeler plus tard.

— Non, non. Je suis sortie maintenant. Alors?

— Alors… ils m'ont contacté.

Mon cœur bat un peu plus vite.

— Et?

— Je l'ai. Je vais jouer le Lion poltron.

Il ne s'écoule même pas une fraction de seconde avant que je me lance dans les félicitations que j'ai préparées dans la baignoire, au cas où.

— Benji, c'est génial!

— J'ai du mal à le croire. Tu aurais dû voir la tête de mon père. Il ne savait pas quoi dire.

Je rigole en imaginant le Dentonateur tout décontenancé à l'idée de voir son fils chanter et danser sur une scène. Déjà, je me sens un peu moins déchirée.

— Et toi, ça va? demande Benji.

— Bien sûr que ça va, dis-je même si c'est faux. Ça va même très bien. Je suis tellement contente pour toi. Ils n'auraient pas pu trouver un meilleur lion.

Presque tout ce que je viens de dire est vrai, mais ça ne m'empêche pas d'avoir mal.

— O.K., tant mieux, dit Benji.

Je perçois son soulagement à l'autre bout du fil.

— J'aimerais tellement que tu fasses partie de la troupe, ajoute-t-il.

— Moi aussi.

— Ça fera bizarre de ne pas te voir là.

— Tu m'oublieras vite quand tu auras fait connaissance avec plein de nouvelles personnes super cool, dis-je d'un ton léger, espérant malgré tout que ce ne sera pas le cas.

— Clarissa, tu es la personne la plus inoubliable qui soit, à part peut-être Denise.

— Denise est hors catégorie. Comment puis-je rivaliser avec son rire de cheval?

— Tu as raison. Ce ne serait pas juste.

— Non, pas du tout.

Il y a une pause dans la conversation, et je n'arrive pas à trouver les mots qu'il faut pour combler le silence. J'ai le cœur en miettes. Mais peu importe à quel point je suis déçue de ne pas avoir décroché le rôle de mes rêves, je dois trouver une façon de surpasser cette déception et de me réjouir pour Benji, tout simplement. Ça ne devrait pas être si difficile : il est mon meilleur ami, pour l'amour du ciel. D'une part, je veux qu'il réussisse, mais d'autre part je regrette de ne pas pouvoir être là pour réussir avec lui.

— Eh bien, bonne nuit. Et encore une fois, félicitations, Benji.

— Merci, Clarissa. Je suis content que tu le prennes comme ça. Car si tu me le demandais… je laisserais tomber.

— Ne sois pas ridicule. Il n'en est pas question.

— C'est juste une pièce. Toi, tu es ma meilleure amie.

— Ce n'est pas *juste* une pièce; c'est *Le magicien d'Oz*! À toi d'y faire honneur! Tu es mon meilleur ami, toi aussi, et je ne vais pas te laisser abandonner parce que je n'ai pas été assez bonne pour obtenir un rôle.

— Charity dit que le choix de la distribution n'a rien à voir avec le fait d'être bon; c'est plutôt une question d'être fait pour un rôle.

Charity dit? Il vient juste de la rencontrer, et déjà il la cite? Je m'efforce de ne pas laisser voir que ça m'agace.

— J'imagine qu'elle sait de quoi elle parle! dis-je d'un ton aussi gai que possible.

— Elle est vraiment sympa. Je crois que tu l'aimerais.

— J'en suis sûre, dis-je rapidement. Bonne nuit.

— Bonne nuit.

Je raccroche et enfile un vieux t-shirt et un short de course, prête à me coucher même s'il est à peine 20 heures. Je songe à regarder la télé ou à lire, n'importe quoi qui pourrait me remonter le moral; mais tout ce que j'ai vraiment envie de faire, c'est m'allonger sur mon lit et ressasser ma déception.

— J'ai cru comprendre qu'il a eu le rôle.

Ma mère surgit dans l'embrasure de la porte, telle une ninja silencieuse, tenant un grand verre d'une substance mousseuse qui ne peut être que…

— Un flotteur au Creamsicle?

Ma mère fait un signe affirmatif.

— J'ai pensé que tu aurais besoin d'un petit remontant.

Je hoche la tête sans dire un mot, descends du lit et prends le verre, lisse et froid, et le seul fait de le tenir me remonte un peu le moral. Ma mère prépare les meilleurs flotteurs au monde. Elle n'utilise que de la crème glacée à la vanille de qualité supérieure et de l'orangeade générique. On pourrait croire que les boissons gazeuses plus chères auraient meilleur goût, mais on a fait le test pour en venir à la conclusion que c'est la marque maison et bon marché de la pharmacie qui donne les meilleurs résultats.

— Tu as été gentille avec Benji tout à l'heure au téléphone, dit ma mère. Je sais que ça n'a pas dû être facile.

Je hausse les épaules, évitant de la regarder dans les yeux. Si je le fais, elle me regardera avec cette façon qu'elle a de faire fondre tout ce qu'il y a de dur en moi, et je me changerai en petit bébé tout mou qui pleure comme un veau.

Ma mère passe un bras autour de mes épaules et me guide vers le lit. Nous nous assoyons, moi buvant mon flotteur, et ma mère traçant des cercles sur mes omoplates avec ses ongles. C'est agréable. Quand j'étais petite, elle écrivait des mots avec son doigt, et j'essayais de les deviner.

Je ne me souviens pas de la dernière fois où nous nous sommes assises sur le lit pour qu'elle me gratte le dos. Depuis son diagnostic, je fais de mon mieux pour paraître heureuse et sereine, même dans mes plus mauvais jours. Je suis peut-être superstitieuse, mais je crois en ce dicton qui dit qu'on peut se rendre malade d'inquiétude. Ma mère est déjà malade, et je ne veux pas aggraver la situation en lui donnant d'autres raisons de s'inquiéter. Mais cette fois, j'ai beau essayer, je ne peux arrêter les gros sanglots convulsifs que je retenais, en ce moment où je me sens près de ma mère.

— C'est juste que… dis-je, mais les mots se noient dans un profond sanglot.

— Oui? dit ma mère pour m'encourager à continuer.

— C'est moi qui ai toujours voulu devenir actrice.

— Je sais.

— Et je ne lui en veux pas, comment pourrait-on en vouloir à Benji, mais…

Je respire profondément pour que ma voix cesse de trembler.

— … pourquoi est-ce qu'on n'a pas été acceptés tous les deux?

Des larmes chaudes ruissellent sur mes joues. Je ne peux rien faire pour les retenir. Ça y est, je pleure.

Ma mère me laisse sangloter pendant un moment, me frottant le dos et les épaules.

— Je suis désolée que tu n'aies pas eu le rôle, Clarissa, dit-elle une fois que je suis calmée. Ça prenait beaucoup de courage pour monter sur scène et auditionner pour un rôle comme celui-là. Tu devrais être très fière de toi. Moi, je le suis. Et la prochaine fois, ce sera tellement plus facile.

— Je ne sais pas s'il y aura une prochaine fois.

— Il y en aura. Si tu désires vraiment devenir actrice, tu dois passer d'autres auditions. Tu dois apprivoiser le sentiment de rejet.

Je fixe mon verre vide pour ne pas avoir à répondre.

— Benji avait besoin de ce rôle, continue ma mère. Je ne dis pas que tu ne le méritais pas aussi, mais nous savons toi et moi que tu es plus solide que lui. Tu te sens terriblement mal en ce moment, mais tu t'en remettras très vite. Et tu devras écouter tout ce qu'il aura à raconter à propos des répétitions et des costumes, et faire semblant de ne pas en souffrir.

— Je sais, dis-je en soupirant.

— Ce dont Benji a le plus besoin, c'est de ton soutien.

Ma mère prend mon menton dans sa main et me sourit comme si j'étais un miracle de la vie, et non un visage bouffi et larmoyant aux yeux rougis.

— Regarde-toi, soupire-t-elle, déjà si mature, à quelques mois seulement de la 9e année. Tu sais, ce sera une tout autre histoire au deuxième cycle. Benji et toi ne ferez plus toujours les mêmes choses, mais ça ne veut pas dire que vous ne pourrez plus être les meilleurs amis du monde.

— Je sais ça.

— Bien. Alors, est-ce que tu te sens mieux ou te faut-il un autre flotteur?

Depuis le diagnostic de ma mère, il est rare qu'un vrai flotteur à la crème glacée parvienne à détrôner le céleri et le lait de soya devenus rois chez nous.

— Je crois qu'avec un autre, je me sentirais beaucoup mieux.

Ma mère rit.

— C'est ce que j'ai pensé. Allez, debout. Le moins que tu puisses faire, c'est de me tenir compagnie pendant que je prépare cette merveille.

Âme sœur

Benji est en répétition les mardis et jeudis après l'école, les samedis matin et un dimanche après-midi sur deux. Quand il ne répète pas, soit il se met à jour dans ses devoirs, soit il travaille son texte. Étant donné que nous passions presque toutes nos journées ensemble, ça me fait bizarre de m'habituer à son nouvel horaire.

En mon for intérieur, je suis soulagée. Je ne pense pas que je pourrais supporter d'entendre à quel point il s'amuse en préparant ce spectacle dans lequel j'aurais dû jouer. J'ai cru que ma déception s'atténuerait, mais elle est toujours là, persistante comme une chanson triste que je n'arrive pas à me sortir de la tête. C'est pourquoi je passe de plus en plus de temps avec Mattie. Après plusieurs appels où elle était en pleurs et de nombreuses notes écrites à l'encre scintillante où elle se disait désolée, j'ai décidé de lui pardonner le fiasco qu'elle a causé en ne me disant pas que Benji avait été rappelé. Je sais pourquoi elle a agi comme elle l'a fait, et je ne peux pas vraiment lui en vouloir. Mais même si Mattie peut être très amusante, elle ne comble pas complètement le vide que Benji, du fait de ses nouvelles occupations, a créé dans ma vie.

Le mardi, je rentre avec Mattie et reste à souper chez elle, ce qui me convient parfaitement puisque ma mère s'entraîne au gymnase le mardi soir. La mère de Mattie nous attend toujours à notre retour de l'école. Elle embrasse Mattie sur les deux joues et me serre dans ses bras.

— Qu'est-ce que vous aimeriez manger comme collation?

— Oh, ça ira, Cheryl, lui dis-je. J'ai un sac de Mr. Noodles que je n'ai pas mangé à midi.

Cheryl Cohen fronce les sourcils.

— Oh Clarissa! Laisse-moi te couper une pomme. Nous ne mangeons pas d'aliments déshydratés ici.

— Ce n'est pas bon pour la santé, fait remarquer Mattie.

Je déchire l'emballage argenté et laisse tomber les assaisonnements en poudre et les morceaux de carottes, d'oignons et de bœuf séchés sur mes nouilles.

— Les astronautes mangent de la nourriture déshydratée, dis-je.

— Ils sont dans l'espace, souligne Mattie d'un ton patient, comme si elle parlait à une abrutie plutôt qu'à quelqu'un qui a eu une meilleure note qu'elle au dernier examen de sciences. Ils n'ont pas le choix.

J'incline la casserole et verse de l'eau bouillante jusqu'à la ligne gravée dans le contenant.

— Eh bien moi, j'ai le choix, et si c'est assez bon pour un astronaute, alors ça l'est aussi pour moi.

Mattie et sa mère échangent un regard dégoûté, mais n'ont rien d'autre à ajouter. On ne peut quand même pas s'élever contre la science.

La plupart du temps, je bois mon lait (il n'y a pas de boisson gazeuse chez les Cohen) et j'écoute. C'est étrange d'observer une autre mère et sa fille ensemble, mais une chose est sûre, les commentaires intrusifs de Denise ne me manquent pas. Au début, je m'inquiétais d'être moi-même une intruse, mais j'ai vite chassé cette idée de mon esprit. Mattie et sa mère adorent avoir de la compagnie, presque autant qu'elles adorent parler. Mattie raconte à sa mère ce qui s'est passé à l'école dans les moindres détails, y compris qui a dit quoi et qui porte quoi. Parfois, elles essaient même de découvrir les motivations profondes qui pourraient expliquer le comportement des gens.

— Ça ne m'étonne pas qu'Amanda et Min passent autant de temps ensemble, dit Cheryl. Amanda a toujours eu besoin de suivre quelqu'un, alors que Min est plutôt du genre à mener.

Une fois que Mattie a terminé son compte rendu, Cheryl déclare :

— Je vais vous laisser faire vos devoirs maintenant.

Comme si elle nous avait privées des joies de la division.

— Mais d'abord, pourquoi ne choisissez-vous pas un CD qu'on pourrait écouter pendant que je prépare le souper?

Par CD, elle entend l'une de ses compilations nulles. Cheryl Cohen possède tous les CD de la série *Women and Songs*, et rien d'autre apparemment. Il doit bien y en avoir dix. Mattie met un temps fou à choisir. Elle parcourt la longue liste de titres, finit par n'en garder que deux, puis me laisse faire le choix final. Je ne comprends pas pourquoi elle fait tant d'histoires. *Women and Songs 1* sonne exactement comme *Women and Songs 10*. Normalement, je ferais mes devoirs devant la télévision, mais Mattie ne regarde la télé qu'une heure par jour durant la semaine. Je n'aurais jamais cru que les reprises d'émissions à l'eau de rose que Benji m'oblige à regarder me manqueraient, mais même *La Fête à la maison* est mieux que *Women and Songs*.

* * *

À mon retour, Denise se prélasse sur une chaise tandis que ma mère enroule d'épaisses sections de ses cheveux couleur rouille autour d'un fer à friser à large diamètre.

— Qu'est-ce qui se passe?

— Denise a un rendez-vous galant. Je lui fais la tête du Cosmo.

Heureusement que je n'ai pas de gomme à mâcher, car je l'aurais crachée droit dans les boucles chèrement gagnées de Denise tellement je suis surprise.

— Un rendez-vous galant? Avec qui?

Il doit s'agir de quelqu'un d'important, car la tête du Cosmo (ainsi baptisée en l'honneur de la coiffure qu'arborent sans exception tous les mannequins ou actrices qui font la une du magazine *Cosmo*) représente beaucoup de travail et nécessite l'utilisation de bigoudis chauffants, de deux fers à friser différents et d'une tonne de fixatif.

Denise me donne une petite tape sur le bras. J'avoue que mon ton était peut-être un tantinet sceptique.

— Dennis.

Je mets quelques secondes à réagir.

— Dennis?

Ma mère fronce les sourcils.

— Oui, Dennis.

— Denise a un rendez-vous galant avec un homme qui s'appelle Dennis?

La lèvre de ma mère se contracte convulsivement lorsqu'elle réalise à quel point les deux prénoms sont semblables. Peut-être qu'elle n'avait encore entendu personne les prononcer dans la même phrase.

— Oui, répète-t-elle d'une voix égale dans un effort magistral pour cacher son amusement.

— Denise a un rendez-vous galant avec un homme qui s'appelle Dennis.

Je jette un regard à Denise pour voir si elle a saisi, mais elle est très occupée à se limer les ongles au carré en prévision de son rendez-vous. Avec Dennis.

— Je l'ai rencontré en faisant la file à l'épicerie, tu te rends compte? Je suppose qu'Oprah avait raison. On ne sait jamais quand on va rencontrer l'âme sœur, dit Denise.

— Une âme sœur nommée Dennis. Avec qui toi, Denise, tu as un rendez-vous galant.

Ma mère me décoche un regard, mais Denise n'a toujours pas pigé.

— Pour l'amour du ciel, Clarissa, qu'est-ce qui te prend? s'exclame ma mère. Qu'est-ce qui te paraît si incroyable?

— Rien, c'est juste que…

— Tu ne peux pas imaginer que quelqu'un m'ait invitée, c'est ça? riposte Denise.

Eh bien, ça aussi, mais là n'est pas la question.

Je soupire. Quand on doit expliquer une blague, elle est déjà beaucoup moins drôle. Il m'aurait fallu un public complice. Il m'aurait fallu… Benji. Pourquoi faut-il qu'il soit tout le temps à ces fichues répétitions?

Amoureux

— C'est un homme?

Benji et moi nous arrêtons net et prêtons l'oreille. En bas dans le Bazar Coiffure, ma mère parle avec quelqu'un qui semble effectivement être un homme. Ma mère ne compte que trois clients masculins : Richard, le beau-frère de Denise, un homme nerveux et très peu bavard; le vieux M. Lawford, qui ne doit pas avoir loin de cent ans; et Benji, bien sûr. L'homme mystère n'est sûrement pas l'un d'eux. Tout ce que j'entends, ce sont des bruits étouffés interrompus par un rire rauque. Mais qu'est-ce qui peut bien le faire rire? Ma mère n'est pas si drôle. Magnifique, oui, mais pas drôle.

— Viens, dis-je à Benji.

Nous laissons tomber nos sacs à dos et descendons.

— Maman? Je suis rentrée.

— Oh, Clarissa, viens. Je veux te présenter Doug.

Doug. Le bon parti. L'entraîneur de ma mère. Assis dans la chaise inclinable en cuir rouge de ma mère, la cape nouée autour de son cou couvrant à peine ses cuisses, Doug a l'air d'un géant. Ses jambes semblent sans fin, s'étirant devant lui et se terminant par de grosses bottines de travail jaunes aux lacets défaits. Elles sont d'une propreté suspecte, comme s'il ne les avait jamais portées pour travailler.

Ses cheveux humides et plutôt longs tombent en ondulant de chaque côté de sa raie, sans aucun doute tracée par ma mère et son petit peigne rouge. Doug les lisse sans arrêt vers l'arrière, ce qui pousse ma mère à lui donner de petits coups de peigne sur le poignet. Il rit, et elle rit aussi. Ma mère est-elle en train de flirter?

Doug se lève pour me serrer la main, et mes soupçons se confirment : c'est officiellement l'homme le plus grand que j'aie vu de ma vie.

— Salut, Clarissa, enchanté de faire enfin ta connaissance. Et laisse-moi deviner, tu dois être Benji? La vedette?

Je me hérisse à peine tandis que Benji rougit.

— Je ne suis pas la vedette, dit-il. Je ne suis que le Lion.

— Et quelles bêtises avez-vous faites tous les deux aujourd'hui? demande Doug en se rassoyant.

— Math, anglais, géographie, comme d'habitude, quoi, dis-je d'une voix égale.

Doug rit.

— Touché!

— Doug a enfin accepté de me laisser lui faire cette coupe dont il a grand besoin, dit ma mère en frottant l'extrémité des cheveux de Doug entre ses doigts, grimaçant comme elle le fait toujours en découvrant des pointes fourchues.

Doug hausse les épaules.

— Elle m'a eu à l'usure. De plus, je voulais jeter un coup d'œil sur le Bazar Coiffure. Question de voir pourquoi on en fait tout un plat.

— Tout un plat! s'exclame ma mère. J'espère que mon salon sera à la hauteur de tes exigences. À quand remonte ta dernière coupe de cheveux, de toute façon? À ton bal des finissants?

Doug affiche un grand sourire.

— Je crois que c'était plutôt à mon seizième anniversaire.

Ma mère sourit d'un air espiègle.

— Eh bien, 50 ans, c'est bien assez long, tu ne penses pas?

Doug rit fort et longtemps en se tapant les cuisses. Ma mère paraît très contente d'elle.

— Promets-moi que tu ne vas pas me raser, dit Doug. Mes cheveux, c'est ma marque de commerce. Ils sont la source de tous mes pouvoirs.

Un peu plus et je m'étouffais. Ce qu'il faut être bête pour faire des blagues sur les cheveux devant quelqu'un qui a perdu les siens récemment. Mais ces commentaires ne semblent pas perturber ma mère le moins du monde; elle sourit toujours, faisant tourner la tête de Doug à droite et à gauche pour visualiser la coupe dans le miroir.

— Oui, je suis certaine que si on les coupait ras, le nombre d'abonnements de la gent féminine au centre sportif diminuerait considérablement, dit-elle d'un ton pince-sans-rire.

Benji a les yeux presque sortis de la tête. Nous échangeons un regard horrifié. Pas de doute, ma mère est bel et bien en train de flirter. Doug rit de nouveau, mais cette fois il a rougi légèrement, si je ne me trompe.

— O.K., j'y suis, dit ma mère. Tu me fais confiance?

— Annie, il n'y a aucune autre coiffeuse sur toute la planète en qui j'ai plus confiance.

Je dois faire un gros effort pour ne pas lever les yeux au ciel. Ils se sourient tous les deux dans le miroir. Les mains de ma mère reposent sur les épaules de Doug, et elle est penchée en avant de sorte qu'ils sont presque joue contre joue. Soudain, j'ai l'impression que le salon est trop petit pour quatre personnes.

— Ravie de t'avoir rencontré, Doug. On a des devoirs à faire, alors...

J'esquisse un geste vers la porte et commence à reculer.

Ma mère ne se retourne même pas, mais nous adresse un signe de la main.

— À tantôt. Il y a des beignes dans la cuisine si vous avez faim.

— Des beignes?

Je n'arrive pas à le croire. Ils figurent sur la liste d'aliments interdits que Doug lui-même a remise à ma mère quand elle a commencé à s'entraîner pour la course.

— C'est Doug qui les a apportés. Il sait à quel point je m'ennuie de mes beignes Boston.

— Considère que c'est ton pourboire, plaisante Doug.

Nous montons, Benji et moi, et leurs rires nous suivent jusque dans la cuisine. Effectivement, il y a sur le comptoir un sac de papier dont le fond est taché de graisse.

Je prends le sac de beignes et remets mes chaussures.

— Viens, dis-je à Benji. On va chez toi.

* * *

J'aurais dû me douter qu'il se passait quelque chose quand j'ai commencé à entendre ma mère rire au téléphone après le souper. Je savais que ce n'était pas Denise, car ma mère trouve toujours quelque chose à faire pendant qu'elle parle avec elle : se vernir les ongles, s'épiler les sourcils ou feuilleter un magazine. Mais cette personne à l'autre bout du fil avait capté toute son attention. De plus, ma mère racontait des histoires que Denise connaît déjà sans doute. Certaines d'entre elles portaient même sur Denise. J'ai écouté attentivement au cas où elle prononcerait mon nom, mais si elle a parlé de moi, elle l'a fait à voix si basse que je n'ai pas pu l'entendre de l'autre côté du mur qui sépare nos chambres.

Maintenant, ça me paraît tout à fait évident.

Une fois que nous sommes hors de portée de voix, installés devant la télé dans le séjour chez Benji, le sac de beignes entre nous deux, je peux dire ce que je pense vraiment.

— Tu te rends compte? Flirter, à leur âge!

— Ta mère est belle et Doug est beau, alors oui, pourquoi pas?

— Tu le trouves beau?

Benji a l'air surpris.

— Pas toi?

— Je ne sais pas. Ses cheveux sont plutôt longs.

— Peut-être pour toi, mais pas pour les femmes d'un certain âge, fait remarquer Benji. Je trouve ça bien que ta mère ait un béguin.

— Arrête! dis-je en me couvrant les oreilles. Ça sonne tellement mal! Les mères n'ont pas de béguins!

Benji sourit malicieusement.

—Chose certaine, ta mère en a un, dit-il juste pour me torturer.

Je frémis à cette idée.

— Elle passait son temps à glousser. Les femmes adultes ne devraient pas glousser.

Benji rit et prend une petite bouchée dans un beigne.

— Qu'est-ce que tu fais? dis-je. Gobe-le d'un seul coup.

— Je ne peux pas, déclare Benji en séparant le beigne en deux et en remettant l'autre moitié dans le sac. Je ne devrais même pas en manger. Il faut que j'entre dans mon costume de Lion. Il est déjà un peu serré.

— Mais où va le monde? Ma mère flirte et tu es au régime.

Benji a les yeux brillants.

— Attends que Mattie apprenne ça. Je l'entends déjà

pousser des cris de joie.

* * *

Benji a raison, bien entendu. Mattie est obsédée par l'idée que ma mère et Doug l'entraîneur finissent ensemble.

— Tu ne trouves pas que c'est romantique? Une jeune mère monoparentale est durement frappée par le cancer. Contre toute attente, elle gagne son combat contre la maladie et décide, en signe de reconnaissance envers la communauté médicale, de participer à une course-bénéfice. C'est alors qu'elle rencontre l'homme de ses rêves, un séduisant entraîneur attiré à la fois par sa beauté intérieure et sa beauté extérieure!

— On dirait un scénario de film, dis-je d'un ton plaintif.

Je ne relève pas le fait que ma mère n'a pas tout à fait gagné son combat. Pas encore.

— Moi, j'irais voir ce film, dit Benji.

— Moi aussi! s'exclame Mattie. Sauf que c'est encore mieux qu'un film, c'est la vraie vie!

— Sandra Bullock pourrait jouer ta mère, continue Benji.

Mattie fronce les sourcils.

— Non, elle n'a pas le teint qu'il faut.

Benji et Mattie énumèrent plusieurs noms d'actrices qui pourraient interpréter le rôle de ma mère.

— Et moi? dis-je.

— Toi, tu jouerais ton propre rôle, évidemment, affirme Mattie.

Hum. Cette idée de film n'est pas si mauvaise après tout. Peut-on quand même être sélectionné pour un Oscar quand on joue son propre rôle dans un film?

— C'est tellement excitant! Depuis combien de temps ta mère n'a pas eu d'amoureux? demande Mattie.

Je n'ai même pas besoin de réfléchir.

— Depuis toujours.

Mattie n'arrive pas à le croire.

— Elle n'a jamais eu d'amoureux? Pas même un seul?

— Pas même un seul.

Pendant dix divines secondes, Mattie reste silencieuse, s'efforçant de comprendre comment ma mère a pu rester célibataire pendant toutes ces années. Durant toute ma vie, j'ai toujours été seule avec ma mère et, malheureusement, Denise. Il n'y a encore jamais eu d'hommes dans le tableau. Je ne me sens pas en terrain familier, et je ne suis pas certaine que ça me plaise. Pourquoi maintenant, après toutes ces années?

— C'est incroyable! dit Mattie. Ta mère est tellement jolie! Et gentille! Et brillante! Il devait y avoir des tas d'hommes qui voulaient sortir avec elle. Je me demande ce qui s'est passé.

Je lève les épaules.

— Peut-être que personne ne l'intéressait.

— Impossible. Tout le monde tombe amoureux.

Mattie me regarde droit dans les yeux avant d'ajouter :

— Enfin, *presque* tout le monde.

— Avant, j'espérais qu'elle se marierait avec mon père, avoue Benji.

Mattie lui sourit gentiment, mais même elle sait reconnaître une cause perdue. Elle change de sujet.

— Doug doit être un homme formidable, conclut-elle. Après toutes ces années, il lui réapprend à être à l'écoute de ses sentiments.

— Ma mère *est* à l'écoute de ses sentiments, dis-je en roulant les yeux. Seulement, elle n'est pas exubérante comme certaines personnes le sont.

Mattie me lance un regard qui en dit long.

— Je suppose que c'est de famille, rétorque-t-elle.

Je lui jette un regard courroucé. Benji a l'air perplexe.

— J'ai raté quelque chose? demande-t-il.

Mattie soupire.

— Non. Mais si ça continue, c'est Clarissa qui ratera une belle occasion.

Aide

Benji et moi, de la pizza et un film : voilà les ingrédients pour un vendredi soir réussi. Parfois, nous choisissons une nouveauté, mais la plupart du temps nous zappons jusqu'à ce que nous tombions sur quelque chose qui nous plaît.

S'il n'y a rien de bon, nous optons pour le pire film que nous trouvons, mettons la sourdine et inventons notre propre dialogue. Ce sera le cas ce soir. C'est au tour de Benji de décider, et il choisit un téléfilm sur le *Women's Network*. Je n'en suis pas certaine, mais il semble s'agir d'une liaison amoureuse qui fait scandale dans une communauté mennonite. Je décide de prendre un accent espagnol pour faire la voix du premier rôle féminin, qui m'apparaît vaguement hispanique et pas du tout mennonite.

— Oh, John Jacob Jingleheimer Schmidt, j'adore voir tes muscles se gonfler sous cette tunique informe, dis-je d'un ton admiratif.

Benji ricane et répond de sa plus belle voix de cow-boy :

— Senorita Bellissima, tu sais que je ne peux pas t'aimer. J'ai déjà une femme et 25 enfants. Mais oh, comme tu hantes mes rêves.

— Je te hanterai pour l'éternité, jusqu'à ce que tu acceptes de quitter cet endroit et de m'épouser, dis-je avec passion en prenant soin de rouler les r.

— Où irions-nous ?

— Peut-être en Amérique, la terre promise.

Benji laisse tomber sa voix grave de dur.

— Attends, est-ce qu'on n'est pas déjà en Amérique?

Je lui lance un coussin.

— Pourquoi faut-il toujours que tu prennes tout au pied de la lettre? Sers-toi de ton imagination! S'il y a quelqu'un qui peut apprécier un tel exercice, c'est bien toi!

Benji hausse les épaules et prend un autre morceau de pizza. Le silence s'étire un peu trop. Il se passe quelque chose.

— Qu'est-ce qu'il y a? Je t'ai froissé?

— Non, répond Benji lentement. Seulement… Je peux te poser une question?

— Vas-y.

— Tu jures de répondre franchement, même si ça risque de me blesser?

— Je suis toujours franche. Enfin, avec toi, dis-je en voyant l'expression sur son visage.

— Trouves-tu que je fais un bon Lion?

Super. *Le magicien d'Oz* qui revient sur le tapis. Je souris et tente d'esquiver la question pour qu'on puisse passer à autre chose.

— Quoi? Bien sûr que oui! Tu as décroché l'un des rôles principaux dans une comédie musicale, non?

Benji mâche sa pizza d'un air pensif.

— Je sais, mais je me disais… S'il te plaît, ne ris pas…

— Promis.

— L'autre jour à la répétition, je jouais la scène où Dorothée rencontre le Lion poltron pour la première fois. Tout le monde a ri, et c'est bien puisque c'est censé être drôle, mais ensuite je me suis demandé s'ils se moquaient de moi.

— Qu'est-ce que tu veux dire?

— Je sais que je ne suis pas le meilleur chanteur au

monde, et je n'ai encore jamais joué dans une pièce. Et regarde-moi : il n'y a rien chez moi qui évoque un lion.

Il a raison. Physiquement, Benji ressemble davantage à un épouvantail qu'à un lion.

— Peut-être que la seule raison pour laquelle ils m'ont choisi, c'est que c'est amusant qu'un garçon maigrichon comme moi joue le rôle du Lion. Tu sais, comme lorsqu'ils ont pris un lutteur pour jouer la fée des dents?

— Tu as vu ce film-là? dis-je d'un ton moqueur.

— Non, mais tu sais de quoi je veux parler.

C'est vrai. C'est le genre de film que je regarderais seulement si j'avais le choix entre ça et me crever les yeux.

— Je crois que tu dramatises, dis-je.

Mais Benji a toujours l'air aussi malheureux.

Je déteste le voir comme ça : il me rappelle ces chiots au regard triste qui nous fixent par la fenêtre de l'animalerie du centre commercial. De plus, je n'aime vraiment pas discuter de la pièce. Je sais qu'une personne plus raisonnable aurait déjà oublié ça, mais mon cœur se serre toujours quand je pense que c'est Charity Smith-Jones, et non Clarissa Louise Delaney, qui incarnera Dorothée.

— Tu veux bien m'aider? Est-ce que ça te ferait bizarre de répéter avec moi? demande Benji.

Je fais appel à tout mon talent d'actrice pour demeurer impassible.

— Moi?

— Personne ne connaît *Le magicien d'Oz* comme toi, et je suis sûr que tu seras honnête avec moi.

— Je ne sais pas.

Benji a l'air un peu déprimé, et je me rappelle que ce n'est pas de moi dont il est question ici, mais de Benji. Je m'aperçois avec un mélange d'horreur et de surprise que je suis en train de me demander ce que Mattie ferait dans une situation pareille. Je suis obligée d'admettre qu'elle est une bien meilleure personne que moi. Mattie lui donnerait certainement un coup de main. Ce sera difficile de donner la réplique à Benji, mais il en vaut la peine.

— O.K., mais pas trop longtemps.

Le visage de Benji s'éclaire.

— Vraiment?

— Vraiment.

Benji fouille dans son sac à dos et en ressort une copie du scénario. Il l'ouvre à la bonne page et me le tend. Ses répliques sont surlignées en rose.

— Tiens. Lis tout ce qui n'est pas surligné.

Benji et moi répétons donc la scène d'un bout à l'autre. C'est difficile de lire les répliques de Dorothée tout en sachant que ce n'est pas moi qui les dirai sur scène. Mais par égard pour Benji, je fais de mon mieux. Après tout, la performance d'un acteur dépend aussi de celle de son interlocuteur.

Une fois qu'on a terminé, Benji me regarde d'un air interrogateur.

— Alors?

Je ne peux pas savoir les raisons exactes qui ont poussé le directeur à lui donner ce rôle. Oui, il est plutôt petit pour un lion, et oui, sa voix est parfois un peu ténue. Mais il est gentil et sérieux; n'est-ce pas exactement ce qu'on recherche chez un Lion poltron? Je ne suis peut-être pas assez douée pour faire partie du spectacle, mais Benji l'est. Pas question que je l'admette à haute voix, cependant.

— Benji, tu t'en tireras très bien. Tu es juste assez drôle.

Benji prend une grande respiration, et je peux presque voir le poids qu'il portait sur ses épaules disparaître d'un seul coup.

— C'est beaucoup plus difficile que je l'avais imaginé, avoue-t-il.

À qui le dis-tu!

— Benji, puisque je te dis que tu t'en tireras très bien.

Il sourit faiblement.

— Merci. Je savais que tu me dirais la vérité.

Je ne suis peut-être pas une assez bonne actrice pour jouer dans un spectacle communautaire du *Magicien d'Oz*, mais j'ai du talent pour encourager les autres.

Arrogance

Il est rare que je me retrouve seule avec ma mère ces temps-ci. Il y a toujours des gens à la maison : ses clientes, Denise, le groupe de coureuses, et maintenant Doug et sa chienne.

Ma mère a intensifié son entraînement, et j'ai l'impression que Doug est à la maison un jour sur deux; il lui apporte des laits frappés protéinés ou des articles, quand il ne s'arrête pas simplement pour lui dire bonjour. Il a peut-être gagné le cœur de ma mère, mais je refuse de me laisser charmer. Il doit s'en être rendu compte, car il a commencé à amener sa chienne, Suzy. S'il croit que je suis le genre de personne à se laisser amadouer par un cabot, il se trompe royalement. Je ne suis pas une fille comme ça. Je ne suis pas Mattie Cohen, qui pleure quand elle voit des publicités du refuge pour animaux à la télé, et qui s'arrête pour caresser tous les chiens que nous croisons dans la rue. Je ne suis même pas certaine d'aimer les chiens. Ce que je sais, c'est que je n'aime pas leur odeur ni le fait qu'on doit ramasser derrière eux et mettre leurs crottes dans un sac. Pour moi, les chiens, ça ne vaut pas la peine de s'embêter avec ça. Alors quand Doug s'amène avec Suzy, qui ressemble davantage à une vadrouille qu'à un chien, ça ne m'impressionne pas.

Parfois, j'aimerais que ma mère mette tout le monde dehors pour que nous puissions rester seules toutes les deux. Pas besoin de planifier une activité spéciale, sauf peut-être regarder un film et se vernir les ongles. Je n'arrive pas à le lui proposer, car si elle demande pourquoi, je devrai lui donner la raison. La vérité, c'est que je ne sais pas combien de temps il nous reste.

Jusqu'à ce qu'elle soit officiellement en rémission, on ne sait pas si la maladie la touchera à nouveau et si elle en guérirait cette fois. Je suppose qu'aucun d'entre nous ne sait réellement de combien de temps il dispose sur la terre. On peut être heurté par une voiture, frappé par la foudre ou apprendre qu'on a un cancer à tout moment. Mais le seul fait de savoir qu'une de ces trois possibilités risque moins d'arriver qu'une autre, me réconforterait énormément. Ce n'est pas le genre de choses dont on veut discuter avec sa mère, surtout si c'est elle qui souffre d'un cancer. Alors, je souris et je fais semblant que tout va super bien et que la vie est passionnante. Et je ne me plains pas de tous ces gens qui remplissent la maison toute la journée.

Une partie du problème vient du fait que ma mère est toujours prête à écouter les déboires des autres. On pourrait penser qu'elle en entend déjà suffisamment comme ça, étant coiffeuse et meilleure amie de cette pauvre Denise, mais elle est incapable de dire non à une personne qui a envie de pleurer, même après la fermeture du salon. Donc, quand par miracle nous finissons par nous retrouver seules pour souper, je décide d'aborder la question de Doug.

— Alors, dis-je. Doug a l'air gentil.

— Il l'est, répond ma mère d'un ton neutre, mais son sourire en dit plus long encore.

— Tu passes beaucoup de temps avec lui, mais j'imagine que c'est normal puisqu'il est ton entraîneur personnel et tout.

— Oui. Il faut consacrer beaucoup de temps à l'entraînement pour une course.

Je doute sérieusement que le fait d'accompagner son entraîneur lorsqu'il promène son chien et d'avoir de longues conversations téléphoniques avec lui fassent partie de la préparation d'une course. Mais je garde cette réflexion pour moi.

— Est-ce un bon entraîneur?

— Très bon. Il nous fait bien rigoler.

— Est-ce qu'il ne devrait pas s'occuper d'abord de vous préparer pour la course?

— Oui, mais si on ne s'amuse pas, à quoi bon?

— Je croyais que le but de tout ça était d'amasser des fonds pour la recherche contre le cancer.

— Oui, et aussi de s'amuser, de se remettre en forme et d'essayer de nouvelles choses.

— Est-ce qu'il a déjà fait ça avant?

— Quoi? Entraîner des gens pour une course? C'est une des tâches d'un entraîneur personnel, Clarissa. Où veux-tu en venir au juste?

Je constate que je ne vais nulle part avec ce type d'interrogatoire. Je décide de changer de tactique.

— Est-ce qu'il travaille de longues heures?

— Pas vraiment. Il est l'un des meilleurs entraîneurs au gym. Il organise lui-même son horaire.

— De façon à passer plus de temps avec sa femme?

Ma mère pose sa fourchette et me regarde droit dans les yeux.

— Arrête.

Je feins la surprise.

— Arrêter quoi? De toute évidence, Doug compte beaucoup pour toi. C'est normal que je veuille le connaître mieux, non?

Ma mère reprend sa fourchette et continue à manger.

— Il n'est pas marié.

— Divorcé?

— Clarissa, ça ne te regarde pas.

— Et toi, ça te regarde?

Ma mère soupire.

— Crache le morceau, Clarissa.

— Cracher quoi?

— Ce que tu essaies de me dire depuis tantôt.

— Très bien.

Mais je ne lui pose pas la question tout de suite. Je racle ce qui reste de pommes de terre dans mon assiette, porte la fourchette à ma bouche, mastique, avale puis continue à réfléchir.

— Eh bien? Je n'ai pas toute la soirée.

— Pourquoi? Tu as un rendez-vous galant? dis-je innocemment.

Ma mère me regarde avec sérieux avant de déclarer lentement et clairement, comme si elle s'était exercée avant :

— Non, je n'ai pas de rendez-vous galant *ce soir*. Et si tu me l'avais demandé avant, je t'aurais répondu que Doug m'a invitée à souper et que j'ai accepté. Alors d'ici peu, oui, j'aurai un rendez-vous galant.

Sur ce, elle se lève, prend mon assiette et commence à débarrasser.

— Mais je n'ai pas fini, dis-je.

— Oh oui, tu as fini.

Elle fait la vaisselle en silence. Contrairement à son habitude, elle n'allume même pas la radio. Je m'éclipse dans le salon pour regarder la télé, mais je sens toujours la colère de ma mère qui irradie jusque dans le couloir et vient gâcher mon plaisir. Je ne vois pas pourquoi elle se met dans un état pareil alors que c'est elle qui a tout chamboulé en faisant entrer Doug dans nos vies. Pour quelqu'un qui se plaint de n'avoir jamais assez d'heures dans une journée, elle semble trouver facilement du temps pour lui.

Atours

— Es-tu au courant à propos de la fête d'anniversaire de Min? Elle a invité toute la classe au restaurant de ses parents. TOUTE LA CLASSE!

— Je ne suis pas sourde, Mattie.

— Elle en a de la chance. Ses parents vont fermer le Dragon doré, et on aura tout le restaurant juste pour la classe. Après le repas, Min dit qu'on pourra pousser les tables et danser. Tu imagines? Notre propre soirée de danse privée!

Je ne suis pas friande des soirées de danse, par contre j'adore le Dragon doré. J'aime surtout les nouilles orangées croustillantes servies avec la soupe won-ton.

— Crois-tu que tout le monde sera là? dis-je. Il y a beaucoup d'élèves qui ne vont pas aux soirées de danse de l'école.

— Dans ce cas-ci, c'est différent, explique Mattie. C'est un buffet à volonté et une soirée de danse gratuits. Même les garçons ne pourront pas dire non.

Elle a raison. Je ne connais aucun garçon qui refuserait un repas gratuit.

— Viens, on va choisir nos tenues!

Il n'y a rien que Mattie aime plus que d'assembler des tenues. Pendant une fraction de seconde, je me sens mal d'exclure Benji de ce choix de vêtements, lui qui regarde religieusement les émissions de métamorphose et qui est toujours franc à propos de ce qui nous va ou ne nous va pas.

Puis je me dis qu'il monte sur scène pour jouer dans une comédie musicale et qu'il a l'occasion de porter de vrais costumes, et mon sentiment de culpabilité disparaît. Cela dit, Mattie et moi avons deux styles très différents; je ne suis pas certaine de pouvoir faire confiance à quelqu'un qui ne porte le jean que le vendredi.

— Peut-être une autre fois, dis-je. Benji voudra sûrement nous aider.

— Oh.

Mattie a beaucoup de mal à cacher sa déception.

Ne voulant pas la vexer, je lui fais une contre-proposition alléchante.

— Vous pourriez venir chez moi tous les deux après l'école vendredi. On pourrait alors décider ensemble.

Elle semble toute ragaillardie.

— O.K.! Penses-tu qu'on pourrait demander à ta mère de nous coiffer?

— Bien sûr, dis-je avec un haussement d'épaules. Elle sera probablement enchantée.

— Super! Qu'est-ce que tu comptes offrir à Min pour son anniversaire? me demande Mattie.

— Je ne sais pas, je n'y ai pas encore pensé…

— Oh! On devrait aller au centre commercial. Peut-être qu'on trouvera aussi de jolis vêtements pour la fête!

— Je n'avais pas vraiment l'intention de m'acheter une nouvelle tenue.

—Alors on verra ce qu'on peut faire avec ce que tu as déjà. Ce sera la fête la plus chouette de l'année, je le sens!

* * *

Vendredi, Mattie est tellement excitée que j'ai envie de hurler. La fête d'anniversaire de Min est son seul sujet de conversation. Heureusement, Benji est là et je peux penser à autre chose pendant qu'ils discutent chiffons.

— Donc, je me suis dit que je pourrais porter ma jupe en denim, tu sais, celle avec les piqûres arc-en-ciel? Mais je ne suis pas sûre qu'elle soit assez chic pour une soirée de danse. C'est plutôt une jupe de tous les jours. Alors j'ai pensé mettre ma jupe violette avec mon haut rayé, que je n'ai porté qu'une fois...

— Le jour de la photo, précise Benji.

— Exactement! Et là, si Josh et moi commençons à sortir ensemble ou je ne sais trop, il est évident qu'on échangera nos photos scolaires, et je porterai sur la mienne la même tenue que lorsqu'il a compris pour la première fois qu'on était faits l'un pour l'autre.

Benji paraît impressionné. Apparemment, il n'avait encore jamais mesuré toute l'ampleur de la folie de Mattie tandis que, de mon côté, il y a des semaines que je baigne dedans, ayant passé beaucoup de temps seule avec elle.

— Ça alors, tu as vraiment pensé à tout, dit-il.

Mattie sourit.

— Merci.

— Crois-tu réellement que les garçons remarquent ce genre de détails? dis-je.

— Il le remarquera si je le lui signale, répond Mattie.

Une fois dans ma chambre, je permets à Mattie et Benji de disséquer ma garde-robe. Benji trouve un vieux jean aux genoux usés et le tient en l'air en fronçant les sourcils. Je crois qu'il a déjà été bleu, mais il est maintenant d'un gris blanchâtre, comme si on avait fait partir toute la couleur à l'aide d'une gomme à effacer géante.

— Est-ce qu'il te fait encore? demande-t-il.

— Probablement pas.

Mattie étend sur le lit un poncho en tricot aux pompons

effilochés. On aperçoit un trou béant dans un coin, comme si la laine avait été grignotée.

— Et ça? L'as-tu déjà porté?

— Je crois que je l'ai eu en cadeau.

— Oh, Clarissa, dit Mattie. Qu'est-ce qu'on va faire de toi? Tu dois trier ce qu'il y a dans ta penderie à chaque changement de saison, et faire de la place pour des vêtements neufs.

— Ne gaspille pas ta salive, dit Benji. C'est ce que je lui répète depuis des années.

— Hé, je l'ai fait! dis-je.

Benji est sceptique.

— Ah oui? Nomme une chose que tu as jetée cette année.

Je me creuse les méninges. Il doit bien y avoir quelque chose.

— J'avais un pyjama à motifs de rennes…

— Les pyjamas ne comptent pas, dit Mattie.

— De plus, tu l'avais depuis cinq ans, souligne Benji. Quoi d'autre?

— Des chaussettes, des sous-vêtements…

Mattie est scandalisée.

— Clarissa! Tout le monde jette des sous-vêtements! Du moins, je l'espère…

Benji sourit malicieusement.

— Clarissa a probablement des sous-vêtements qui datent de la 3e année.

— C'est dégoûtant! dit Mattie en gloussant.

J'ouvre un tiroir et lance une paire de chaussettes en boule dans leur direction.

— Attrapez!

Mattie pousse un petit cri aigu lorsque les chaussettes

rebondissent sur son épaule et tombent sur les genoux de Benji. Ce dernier les déplie et glisse sa main dans une des chaussettes. Son pouce sort par un trou au niveau du talon. Benji agite le doigt devant le visage de Mattie, et celle-ci rit de plus belle.

— Tu vois? C'est un cas désespéré.

Mattie me dévisage, les yeux brillants. Cette lueur dans ces yeux ne me dit rien qui vaille.

— Clarissa, tu veux bien me… enfin *nous*, corrige-t-elle en agrippant le bras de Benji. Tu veux bien nous laisser t'habiller pour la fête d'anniversaire de Min?

— Ce sera comme si tu m'offrais mon cadeau d'anniversaire à l'avance, dit Benji.

— À moi aussi! ajoute Mattie. Je t'en prie, dis oui!

Je ne sais pas. D'une part, ça signifie que je n'aurai pas à m'inquiéter de ce que je vais porter. D'autre part, je n'ai pas envie de me retrouver devant toute la classe vêtue d'une des robes-chasubles en tissu écossais de Mattie, ou d'un de ses chemisiers à jabot. Tout ça pourrait très bien tourner à la catastrophe.

N'empêche que c'est extrêmement difficile de dire non à ses deux meilleurs amis quand ils sont assis là et vous sourient d'un air suppliant. De plus, ce sera sûrement le cadeau le moins compliqué que je ne leur aurai jamais offert.

— D'accord, dis-je. Mais ça ne veut pas dire que je vais aimer la tenue que vous choisirez.

— Tu n'as pas besoin de l'aimer, dit Benji. Juste de la porter.

* * *

Après de longues délibérations, une collation et deux pauses pour aller à la toilette, Mattie et Benji ont finalement décidé de ce que je vais porter à la soirée d'anniversaire de Min. Avant de révéler leur choix, Mattie et Benji décrivent le processus de sélection.

— Tout d'abord, commence Benji, nous voulions choisir une tenue dans laquelle tu serais à l'aise.

— Une tenue qui te représente bien, précise Mattie.

— Exact. Mais nous nous sommes également dit que tu devrais sortir un peu de ta zone de confort en essayant quelque chose de nouveau.

— Donc, sans plus de façons, roulement de tambour s'il vous plaît…

Benji tambourine des doigts sur ses jambes tandis que Mattie ouvre tout grand la porte de ma penderie, dévoilant la tenue que je porterai à la fête.

— Tadam!

Au début, je suis incapable de parler. C'est exactement ce qu'ils ont promis : c'est moi, mais avec une touche de nouveauté.

Benji m'observe, plein d'espoir.

— Alors? Qu'en dis-tu? Je sais que tu n'aimes pas les jupes, et c'est pourquoi on a agencé celle-ci avec un legging, pour que tu aies l'impression de porter un pantalon.

Au collant noir et à la jupe en denim unie qui doivent appartenir à Mattie, ils ont ajouté mon t-shirt préféré, celui qui a sur le devant une sérigraphie de Dorothée, du film *Le magicien d'Oz*, de même qu'un chemisier rouge à manches courtes. Il n'y a pas la moindre trace de jabot ou de boucles.

— Tu es censée porter le chemisier déboutonné, explique Mattie, pour qu'on puisse voir le t-shirt. Je sais que tu adores les t-shirts. Celui-ci fait très vintage, et c'est la mode en ce moment.

— Tu vois? C'est toi, mais en version améliorée, conclut

fièrement Benji.

— Si tu te sens extra-aventureuse, tu peux ajouter une jolie écharpe, suggère Mattie.

— Ou des pendants d'oreilles! renchérit Benji.

— Et pour les souliers? dis-je.

— Tu peux porter les miens, répond Mattie. J'en ai apporté trois paires pour que tu puisses choisir.

Toutes les chaussures de Mattie sont luisantes, scintillantes ou roses. Je ne peux pas aller à une fête avec des souliers comme ça; ce ne serait pas moi. Je fouille dans ma penderie et en sors mes chaussures de sport deux tons. Elles ne sont peut-être pas jolies, mais ce sont mes préférées.

— Et ça, ça irait?

— Parfait! dit Mattie. Les leggings et les chaussures de sport vont très bien ensemble.

— J'adore, dois-je admettre. Vraiment!

Je m'en veux d'avoir douté de mes amis. Écharpe ou pas, c'est une tenue ravissante, et jamais je n'aurais pu agencer ces vêtements toute seule.

Mattie et Benji sautent de joie et applaudissent.

— Tape là-dedans! s'écrie Mattie.

Benji lui tape dans la main, et ils s'étreignent tous les deux en se félicitant.

— On pourrait se lancer en affaires! dit Mattie d'un ton animé.

— Et avoir notre propre émission de télé! ajoute Benji.

Tandis qu'ils cherchent un nom pour leur téléréalité mode, je jette un coup d'œil dans le miroir à nouveau. Pour la première fois, j'ai vraiment hâte d'aller à cette soirée d'anniversaire.

Aigre-doux

Benji, Mattie et moi marchons ensemble jusqu'au Dragon doré. À notre arrivée, la moitié de la classe est déjà là. La mère de Min nous accueille à la porte et coche nos noms sur une liste.

— Clarissa et Mattie, vous serez à la table numéro six. Benjamin, tu seras à la table numéro deux.

— Merci, madame Lu, dit Mattie d'un ton jovial.

— Mais…

Mattie m'agrippe le bras et m'entraîne à l'intérieur avant que je puisse continuer.

— Qu'est-ce que tu fais? dis-je en dégageant mon bras. J'allais lui poser une question au sujet du plan de table. Tu crois qu'elle est sérieuse?

— Bien sûr qu'elle l'est, souffle Mattie. Les gens accordent beaucoup d'importance au plan de table. N'oublie pas tes bonnes manières.

— Mais je m'assois toujours avec Benji, dis-je avec insistance.

— Tout ira bien, n'est-ce pas, Benji? Ce n'est pas comme si tu ne connaissais pas ces gens.

— Je suppose.

Benji n'a pas l'air convaincu.

— Tu pourrais peut-être changer de place avec quelqu'un, lui dis-je.

— Salut! Merci d'être venus! On vous a indiqué vos places? demande Min.

Elle est toute pomponnée dans une tenue qui lui donne l'allure à la fois d'une star de la pop et d'une poupée Barbie. Je ne saurais dire laquelle me déplaît le plus.

— Justement… dis-je, mais Min se penche vers moi et laisse échapper un petit rire.

— Tu me remercieras plus tard, lance-t-elle avant d'aller saluer quelqu'un d'autre.

— Suis-je la seule à trouver qu'il vient de se passer quelque chose de bizarre? dis-je.

— C'était bel et bien bizarre, approuve Benji. Eh bien, je suppose que je ferais mieux d'aller à ma table maintenant.

—Ne t'inquiète pas, je viendrai te voir.

Le restaurant est plein. Quelqu'un a monté le son de la chaîne stéréo, et quelques groupes de filles chantent et dansent au son de la musique, rejetant leurs cheveux en arrière et levant les bras en riant sottement. Je reconnais la chanson, mais je n'aime pas beaucoup danser devant des gens. Je me faufile jusqu'au buffet, qui consiste en une table garnie de plats sous cloches aux arômes terriblement alléchants. Je songe à soulever l'un des couvercles lorsque le père de Min surgit juste à côté de moi.

— Tu as faim? demande M. Lu.

Je rougis.

— Un peu.

Heureusement que les lumières sont tamisées.

M. Lu me sourit.

— Le repas ne va pas tarder. Allez, va danser!

D'un geste, il me chasse vers la piste de danse de fortune. À contrecœur, je me dirige vers le cercle de filles auxquelles Mattie s'est jointe.

Je ne sais trop comment, mais je survis aux dix minutes suivantes, hochant la tête et souriant chaque fois qu'on me demande si j'aime cette chanson. Enfin, M. Lu baisse le volume de la musique et annonce que le souper est servi.

Je remplis mon assiette de pâtés impériaux, de chow mein, et d'une bonne quantité de poulet à la sauce aigre-douce. Derrière moi, Mattie hésite entre les différents plats végétariens, en déposant de petites cuillerées dans son assiette.

— C'est tout ce que tu vas manger?

— Je ne veux pas m'empiffrer devant Josh, chuchote Mattie.

— Je croyais que tu étais féministe.

Mattie paraît déchirée, mais elle trouve un compromis.

— C'est un buffet, je peux toujours revenir pour une deuxième assiette.

J'ajoute une boulette de poulet sur le monticule de nourriture dans mon assiette, et on dirait une délicieuse cerise frite couronnant une coupe glacée de riz et de légumes sautés.

— Comme tu voudras.

Il y a six personnes à chaque table. Il est clair que le plan de table n'a pas été laissé au hasard. Mattie et moi sommes assises avec Michael, Josh, Chudy et Amanda. Devant chaque chaise se trouve une carte sur laquelle figure un nom soigneusement écrit à l'encre scintillante. La disposition des invités autour de la table prévoit un garçon, une fille, un garçon, une fille. Je suis placée entre Michael et Chudy. Nous avons tous été jumelés dans ce qui ressemble à une tentative romantique de former des couples.

J'aurais dû deviner que Min monterait un coup du genre. Mattie n'a jamais caché qu'elle est obsédée par Josh, et Amanda Krespi est amoureuse de Chudy Adeyemi depuis qu'il a remporté le concours régional d'art oratoire l'an dernier. Je comprends pourquoi : même moi, je dois admettre qu'il a le plus beau timbre de voix de tous les jeunes que je connais. Sa présentation portait sur les pratiques agricoles mondiales, et j'ai réussi à rester éveillée durant tout l'exposé. De toute évidence, Min essaie de jouer les entremetteuses : alors, qu'est-ce que ça signifie qu'elle m'ait placée à côté de Michael? Croit-elle que j'ai le béguin pour lui? Mattie lui a-t-elle dit quelque chose?

Ou pire, Michael lui aurait-il parlé de moi?

C'est une chance que j'aie pris autant de nourriture. Je suis tellement occupée à manger que personne ne peut s'attendre à ce que je participe à la conversation; d'ailleurs, celle-ci se déroule de façon plutôt maladroite, au mieux.

— C'est vraiment gentil de la part des parents de Min de nous recevoir, n'est-ce pas? Ça fait très classe. Exactement ce que je voudrais pour ma fête d'anniversaire, dit Mattie.

Elle a déjà terminé ses quatre bouchées de nourriture et tente désespérément d'engager la conversation avec quelqu'un, peu importe qui.

Chudy hoche la tête et déglutit.

— Oui, c'est très gentil, dit-il poliment.

— C'est quand, ton anniversaire? demande Mattie.

— Le 21 mai, répond aussitôt Amanda.

Elle rougit à la seconde où les mots sont sortis de sa bouche.

— Je... je m'en souviens, car l'année dernière nous t'avons chanté *Joyeux anniversaire* en avance à cause du congé de la fête de la Reine.

Amanda sourit faiblement et promène son regard autour de la table comme si elle cherchait quelqu'un pour la sortir de là.

— Vous vous rappelez?

Chudy, qui se comporte toujours en gentleman, sourit poliment à Amanda.

— Oui, c'est vrai, dit-il.

Mattie rit, un peu trop fort à mon avis.

— Je m'en souviens aussi! Amanda, tu as une tellement bonne mémoire.

Amanda lui adresse un sourire reconnaissant. C'est une belle tentative de la part de Mattie, même si elle arrive un peu trop tard. Le malaise s'est déjà installé. Mattie se tourne vers Josh et, dans une remarquable démonstration de sang-froid, parvient à lui demander sa date d'anniversaire sans rougir ni prendre un ton excité.

— Août, répond-il.

— Ce doit être difficile de fêter son anniversaire en été, dit-elle. Tout le monde est parti en vacances.

Josh hausse les épaules.

— D'habitude, j'invite un ami à mon chalet, et on se fait tirer sur l'eau en bouée tractable.

— Ça a l'air génial! J'adore les sports nautiques! s'écrie Mattie.

Je suis presque certaine que le seul sport nautique que Mattie Cohen ait jamais pratiqué est la natation, et c'était à un camp d'été pour filles seulement, où ça n'avait pas d'importance que ses cheveux s'emmêlent ou tournent au vert à cause du chlore. Je peux presque voir les images défiler dans sa tête, alors qu'elle s'imagine être l'invitée d'honneur au chalet de Josh, vêtue de son plus beau bikini à fleurs et portant ses grosses lunettes de soleil roses.

— Super, dit Josh.

— As-tu un canot à ton chalet? demande Mattie.

— Ouais.

— J'en ai fait l'an dernier au camp d'été, déclare Amanda.

Elle jette un regard vers Chudy.

— Toi, Chudy, as-tu déjà fait du canot?

— Non.

— Personnellement, je préfère le kayak, dit Michael.

— On a aussi des kayaks, souligne Josh.

Sapristi. Peut-on imaginer une conversation plus ennuyeuse? Je suis sur le point de m'excuser et de retourner au buffet lorsque Michael se tourne vers moi.

— Et toi? As-tu déjà fait du kayak, Clarissa?

— Non. Les sports nautiques, ce n'est pas vraiment mon fort. Ni aucun autre sport d'ailleurs.

Mattie rit.

— Oh, Clarissa! Ne sois pas si modeste!

— C'est vrai. J'ai comme une allergie aux sports.

— Tu te débrouilles bien au badminton, fait remarquer Michael.

Je ne sais pas qui de moi ou Mattie est la plus surprise. J'évite de la regarder, mais je la vois hausser les sourcils du coin de l'œil tandis qu'elle me décoche un regard comme pour dire : « Tu vois que j'avais raison! »

— Ce n'est quand même pas le sport le plus difficile, dis-je à voix basse.

— J'aime bien le badminton, dit Josh.

— Moi aussi! Oh mon Dieu! Je viens d'avoir une excellente idée. On devrait jouer en double au tournoi de badminton!

Josh, Michael et moi dévisageons Mattie, l'air interdit.

— Au quoi? dis-je.

Mattie lève les yeux au ciel.

— Au tournoi de badminton! Pendant l'heure du dîner! Dans deux semaines!

Ne voyant pas la moindre lueur apparaître dans nos yeux,

Mattie prend un air indigné.

— Suis-je la seule à écouter les annonces du matin?

— Non. Je me rappelle avoir entendu quelque chose à ce sujet-là, répond Chudy.

Mattie lui sourit avec gratitude.

— Alors, qu'en dites-vous?

Le regard plein d'espoir de Mattie se pose tour à tour sur Josh, Michael et moi. Je me sens mal à l'aise; les sports de compétition, même le badminton, très peu pour moi. Josh plante sa fourchette dans son riz frit au poulet. Le silence s'éternise douloureusement jusqu'à ce que Michael parle.

— Je suis partant, dit-il. Clarissa?

Michael me regarde droit dans les yeux. Si quelqu'un vous a déjà regardé droit dans les yeux, vous savez à quel point c'est difficile de détourner le regard, surtout si ce quelqu'un a de jolis yeux bleus mouchetés de vert, comme les yeux en billes d'un chat.

Soudain, j'ai la gorge sèche, et je dois m'éclaircir la voix à quelques reprises avant de pouvoir parler.

— D'accord, mais seulement si Josh joue aussi.

Ce dernier hausse les épaules.

— Comme tu veux.

— Super! C'est réglé! J'irai nous inscrire lundi. Clarissa jouera avec Michael, et Josh avec moi!

Mattie devrait être aux anges, mais sa voix semble un peu tendue. De plus, elle est tellement pressée de quitter la table qu'elle manque de renverser sa chaise lorsqu'elle se lève et se précipite vers le buffet. Je me lève à mon tour et la suis.

Au buffet, je me penche vers elle.

— Pas mal, hein?

Mattie me tourne le dos et farfouille dans l'assiette de boulettes de poulet. Je lui tapote l'épaule.

— Hé! J'ai dit que c'était pas mal.

Mattie virevolte, les narines frémissantes et le rouge lui montant aux joues.

— Tu sais, parfois tu peux être vraiment méchante!

— Quoi?

— Tu m'as bien entendue.

— Je t'ai entendue, mais je ne saisis pas.

— Ouais, à d'autres! À quoi ça rimait, ça : « Seulement si Josh joue aussi »?

— À rien! Je voulais seulement m'assurer qu'il comprendrait le message.

— Oh, il a très bien compris le message. Lui, et tout le monde autour de la table.

— SAPRISTI, Mattie, de quoi est-ce que tu parles? Tu ne peux pas t'exprimer comme une personne normale?

Mattie reste bouche bée.

— C'est toi qui n'es pas normale, Clarissa! Tu sais à quel point Josh me plaît. Je ne peux pas croire que tu m'as fait ça, et que tu as fait ça à Michael.

— Qu'est-ce que Michael a à voir là-dedans?

Mais Mattie s'éloigne d'un pas lourd et prend une chaise à la table de Min. Très bien, si c'est ce qu'elle veut; c'est son choix. Je retourne à la table numéro six et m'efforce de ne pas prêter attention aux reniflements de Mattie.

Atterrée

Après le souper, la musique recommence. De nouveau, les invités se mêlent les uns aux autres. Ils dansent moins, Dieu merci, probablement trop repus pour avoir envie de bouger. Mattie est assise dans un coin, entourée de filles et reniflant dans une serviette de table. De temps à autre, elle regarde dans ma direction de ses yeux rougis et larmoyants. Dès que je croise son regard, elle se remet à pleurnicher de plus belle. Sapristi.

Lorsque personne ne nous regarde, je prends Benji par le bras et l'entraîne dans les toilettes des filles.

— Tu t'es mise dans un beau pétrin, chuchote Benji.

— Pourquoi? Qu'est-ce que j'ai fait?

— Elle croit que tu veux lui voler Josh.

— Quoi?

— Chut!

Benji jette des regards désespérés autour de lui avant de me tirer vers une cabine et de verrouiller la porte derrière nous.

— Et si quelqu'un nous trouve? Je ne suis pas censé être là.

Je fais un effort pour baisser le ton.

— C'est la chose la plus ridicule que j'aie jamais entendue. Qu'est-ce qui lui fait penser ça?

Benji hausse les épaules.

— Apparemment, tu as dit que tu jouerais au badminton seulement si Josh jouait aussi.

— Et alors?

Benji a l'air déçu, mais pas si étonné que ça.

— C'est vrai? Tu as réellement dit ça?

— Oui, mais je l'ai fait dans l'intérêt de Mattie.

Benji secoue la tête.

— Oh, Clarissa, tu ne comprends donc pas? Tu as laissé entendre que la seule raison pour laquelle tu jouais, c'est parce que Josh jouait aussi. Et maintenant, Mattie pense qu'il te plaît.

Je suis atterrée.

— Quoi? Ce n'est pas du tout ça! J'ai dit ça seulement pour convaincre Josh de jouer! Je l'ai fait pour elle!

Benji me tapote l'épaule.

— Je le sais, mais Mattie ne le sait pas, elle. Et Michael ne le sait probablement pas non plus.

— Je me moque de ce que pense Michael, dis-je peut-être un peu trop rapidement.

Benji n'ajoute rien.

— Alors, qu'est-ce que je fais maintenant? Comment faire comprendre à Mattie qu'elle dramatise pour rien et qu'elle peut bien garder son stupide Josh Simmons pour elle?

— Premièrement, ce n'est pas comme ça que je m'exprimerais. Deuxièmement, tu n'as qu'à lui expliquer, dit Benji simplement.

— C'est ce que j'ai tenté de faire tout à l'heure, mais elle a tourné les talons pour aller pleurer sur l'épaule de ceux qui voulaient bien l'écouter!

Benji sourit avec compassion.

— Il faudra peut-être que tu essaies plus d'une fois.

* * *

Plus d'une fois, c'est peu dire. Je décide de la laisser

tranquille durant le reste de la soirée. Même si je voulais l'approcher, je devrais me faufiler à travers une armée de filles qui la protègent des gens de mon acabit.

Je me laisse plutôt tomber sur une chaise à côté de Benji et je l'écoute parler sans arrêt de ses répétitions et de ses nouveaux amis artistes.

— Charity nous a raconté une audition qu'elle a passée une fois, et durant laquelle elle devait manger un bol de céréales roses. Elle a découvert qu'elle était allergique au colorant dans les céréales; sa gorge s'est mise à enfler et on a dû la transporter à l'hôpital. Le régisseur de distribution lui a envoyé des fleurs, et depuis elle a une audition pour chacune de ses publicités. Étonnant, non?

— Mmm.

Ce n'est pas que Charity Smith-Jones et sa fabuleuse carrière d'actrice ne m'intéressent pas; seulement, je n'ai pas envie d'entendre parler d'elle dès que je passe un peu de temps avec Benji. Il ne la connaît que depuis quelques semaines. Nous, on est amis depuis toujours. Je me demande s'il l'ennuie à mourir avec ses histoires à propos de moi. Probablement pas.

— Je peux m'asseoir avec vous?

Michael prend une chaise et s'installe à côté de nous au bord de la piste de danse. De l'autre côté de la salle, Mattie et ses gardes du corps secouent la tête et se mettent à chuchoter frénétiquement.

— Qu'est-ce qui leur prend? demande Michael en les désignant d'un coup de menton.

— Va savoir, dis-je, même si je le sais très bien. Ce n'est probablement rien.

— Mattie croit que Clarissa aime Josh, lâche Benji.

Je ne sais pas qui est le plus rouge, Michael ou moi.

Chose certaine, je ne veux surtout pas qu'il me voie rougir. Je n'ai pas à m'inquiéter, car Michael fixe ses souliers.

— Oh, fait-il.

— Mais ce n'est pas vrai! dis-je aussitôt. Je ne l'aime pas. Mais Mattie, oui. Je voulais seulement m'assurer qu'il s'inscrirait au badminton. Je l'ai fait pour Mattie.

— Oh, dit Michael. C'est bien. Je veux dire, c'est gentil de ta part. Pour Mattie.

Benji semble sur le point de filer, mais je ne crois pas que je pourrais rester assise ici et parler à Michael toute seule. Je fais donc la seule chose qui me vient à l'esprit pour le retenir.

— Benji me parlait de ses répétitions. Savais-tu qu'il joue le Lion poltron dans *Le magicien d'Oz*?

— C'est vrai? Tu veux dire que tu chantes, tu danses et tout? demande Michael.

Benji acquiesce d'un signe de tête, rougissant de plaisir.

— Je crois que ce sera très réussi, dit-il avec enthousiasme. Attends de voir notre Dorothée.

Il se lance dans l'une de ses nombreuses histoires à propos de Charity; je la connais presque par cœur, mais cette fois ça ne m'agace pas autant.

Michael paraît sincèrement intéressé.

— C'est quand, le spectacle?

— À la fin mai, répond Benji d'un ton désinvolte, comme s'il ne rayait pas les jours sur son calendrier tous les soirs.

— Cool. Est-ce que tu vends des billets?

Benji exulte.

— Bien sûr! Tu peux aussi appeler le guichet de la salle ou les acheter en personne chez Fleurs +. C'est là que travaille la régisseuse durant la semaine.

— À quelle représentation iras-tu, Clarissa?

Benji et moi échangeons un regard. Malgré nos nombreuses discussions portant sur le spectacle, nous n'avons pas encore abordé cette question.

— Probablement à la première, mais peut-être à la dernière. Ou aux deux. Je n'ai pas encore décidé.

— Quand tu le sauras, avertis-moi. J'irai le même soir.

— D'accord.

Est-ce un rendez-vous? Est-ce que Michael vient de me proposer une sortie d'amoureux? Et est-ce qu'on peut considérer que c'est une sortie d'amoureux quand le garçon suggère la sortie, mais que la fille doit le rappeler pour lui dire où et quand?

— Mattie sera probablement là aussi, dis-je. Si elle daigne bien me parler d'ici là.

— Génial. On pourrait tous s'asseoir ensemble. Tu auras ton propre club d'admirateurs, Benji.

Celui-ci sourit.

— Génial, répète-t-il.

Le silence se réinstalle. Benji a l'air complètement ébloui, pour ne pas dire abruti, songeant probablement à ce que ce sera d'avoir son club d'admirateurs; Michael mange le reste d'un morceau de gâteau d'anniversaire que quelqu'un a laissé sur la table; et moi, je me demande si je viens d'accepter une sortie d'amoureux avec Michael Greenblat.

Abandon

Apparemment, Mattie n'a pas l'intention de clore l'incident Josh Simmons, car à l'heure du dîner lundi, elle s'assoit avec Amanda et Min au lieu de s'installer à notre table habituelle avec Benji.

— Tu ne t'es pas encore excusée? demande ce dernier.

— Pas vraiment.

— Tu devrais y aller avant que la situation empire.

— Et donner à Min et Amanda la satisfaction de me voir ramper? Jamais.

— Pas besoin de le faire devant elles.

— Je ne pense pas que je lui dois des excuses.

— Mais Mattie le pense, elle.

— Très bien.

J'avale le reste de ma boîte de jus et marche d'un pas lourd jusqu'à la table où sont assises Min, Amanda et Mattie. Min et Amanda cessent de parler, et Mattie refuse de me regarder.

— Salut, dis-je.

Aucune des trois ne me répond.

— J'ai dit *salut*.

Toujours rien.

— Mattie, je peux te parler une seconde?

Mattie se redresse, mais continue d'éviter mon regard.

— À quel sujet?

— Tu le sais très bien. S'il te plaît, peux-tu venir à notre table une seconde?

Mattie renifle.

— Peu importe ce que tu as à me dire, tu peux le dire devant Min et Amanda.

Je serre les dents et j'essaie de rester calme.

— Écoute, je sais que tu es encore fâchée contre moi, mais crois-moi quand je te dis que je ne suis pas amoureuse de Josh et que jamais je ne ferais quoi que ce soit pour t'empêcher de sortir avec lui, si c'est ce que tu souhaites vraiment.

— Donc, tu reconnais que tu savais depuis le début que Josh me plaît? demande Mattie.

— Oui, évidemment.

— Et tu reconnais que ce que tu as dit était blessant et déplacé?

— Un instant, c'est toi qui l'as pris de travers. C'est toi qui as réagi de manière exagérée!

Amanda laisse échapper un hoquet de stupeur tandis que Min secoue la tête. Mattie me dévisage, les joues roses de colère. Jamais je ne l'ai vue aussi furieuse.

— De manière exagérée?

— Oui, exagérée. Je t'ai dit que j'étais désolée. Est-ce qu'on peut passer à autre chose?

— À vrai dire, je ne me rappelle pas avoir entendu le mot « désolée ».

— Très bien. Je suis désolée, Mattie. Je ne voulais pas te faire de peine et tu le sais très bien. Je suis vraiment, vraiment désolée.

— Tu dois le penser quand tu le dis, Clarissa. Autrement, ça ne compte pas.

Amanda roule les yeux en se tournant vers Min, et je suis tentée de leur filer une bonne gifle, question de leur faire perdre leur petit air suffisant. Mattie fait exprès de m'humilier. Je suis désolée, mais en ce moment j'en ai plein le dos moi aussi.

— Est-ce qu'on pourrait discuter de ça seule à seule? dis-je, les dents serrées.

— En fait, je crois que j'ai assez discuté de ça, répond Mattie en se détournant.

Je fulmine lorsque je rejoins Benji.

— J'en conclus que ça ne s'est pas bien passé, dit-il.

Je prends une poignée de ses croustilles et les fourre dans ma bouche pour ne pas crier.

— Tu pourras toujours réessayer demain, suggère Benji.

* * *

Je n'ai pas l'occasion de reparler à Mattie le mardi, même si je ne ménage pas les efforts pour croiser son regard et lui sourire en classe. Chaque fois, elle fait mine de ne pas me voir et rejette ses cheveux par-dessus son épaule. Je m'abaisse même à lui écrire une note que je confie à Benji pour qu'il la lui remette au cours de géographie.

— Est-ce qu'elle a dit quelque chose concernant la note? dis-je après l'école.

Benji fait signe que non.

— Navré, Clarissa. Je ne sais même pas si elle l'a lue. Elle l'a simplement fourrée dans son sac à dos.

Je ne suis pas du genre à croire que c'est acceptable de s'excuser par écrit. Dans ma note, je répète à Mattie que je suis sincèrement désolée et que j'aimerais avoir la chance de le lui dire en personne. Mais d'abord faudrait-il qu'elle arrête de faire comme si je n'existais pas.

Jeudi, après l'école, j'attends Mattie à son casier comme je le fais toujours. Mais après avoir patienté pendant 15 minutes, je comprends finalement qu'elle ne viendra pas. Elle est rentrée sans moi. Tout d'un coup, j'ai besoin de sortir de là au plus vite. Je rentre chez moi à pied, seule, la tête baissée; je n'en reviens pas de sentir une telle colère chez Mattie. Je sais que Josh lui plaît, mais tout ça me paraît extrême, même si c'est Mattie.

Chez moi, j'allume la télé et la radio, et je vais d'une pièce à l'autre en allumant toutes les lumières. Je suis trop agitée pour faire quoi que ce soit. Ma mère est au gym avec Doug et son équipe de coureuses, Benji est en répétition, et Mattie est chez elle en train de manger une collation santé et de chanter en chœur avec Sheryl Crow et Sarah McLachlan, sans moi. Je fixe le téléphone; j'aimerais tant qu'il sonne.

Finalement, je comprends que c'est moi qui devrai prendre le téléphone. Le numéro de Mattie est l'un des trois que je connais par cœur. Peut-être que je devrais lui dire ça. Ça compte, quand même.

— Allô?

— Bonjour Cheryl, c'est Clarissa. Est-ce que je peux parler à Mattie s'il vous plaît?

Il y a une pause et un bruit de voix étouffées.

— Je suis désolée, Clarissa. Elle n'est pas d'humeur à parler maintenant. Puis-je lui transmettre un message?

J'avale ma salive et me demande si Mattie a raconté notre dispute à sa mère. Elle me déteste probablement. Je ne peux pas lui en vouloir. Moi aussi, je me déteste un peu en ce moment.

— Pourriez-vous lui dire que j'appelais pour m'excuser, et que je suis très, très sincère.

— Oui, Clarissa. Je vais le lui dire. Passe une bonne soirée.

Ça, j'en doute.

Absolution

Le dimanche avant le tournoi, Mattie m'a finalement rappelée. Il semble que le tournoi soit toujours au programme, et elle a décidé qu'il valait mieux s'exercer au badminton.

— S'exercer, mais pourquoi? C'est du badminton.

— Tu ne veux donc pas gagner? demande Mattie.

— Oui.

Je me moque pas mal du tournoi. J'y participe seulement pour regagner l'amitié de Mattie. La dernière semaine a été horrible. Je ne m'étais pas rendu compte à quel point j'aimais Mattie jusqu'à ce qu'elle refuse de me parler. Avec Benji qui est toujours à ses répétitions et ma mère qui passe tout son temps libre en compagnie de Doug, j'ai l'impression de perdre des gens de tous côtés. Je ne veux pas la perdre aussi.

Nous avons convenu de nous rencontrer chez Mattie après le dîner. Benji est en répétition (bien sûr) et j'ai déjà fait plus de devoirs que nécessaire. Je suis donc libre comme l'air. C'est l'une de ces journées de printemps où l'on se sent en été. On dirait que tout le monde est dehors à faire du jardinage, à se promener ou simplement à profiter du soleil, le sourire aux lèvres.

Je sonne chez Mattie en espérant ne pas croiser sa mère. Même si je sais que ce n'est pas ma faute et que Mattie affirme que je suis toute pardonnée, je me sens tout de même un peu honteuse à propos de ce qui s'est passé. Je n'aime pas penser que les parents de mes amis ont une mauvaise opinion de moi.

— Clarissa!

C'est bien ma chance : Cheryl Cohen ouvre la porte. À la façon dont elle a prononcé mon nom, je devine qu'elle est au courant de notre querelle. Je lui souris et j'espère de tout mon cœur qu'elle ne me demande pas d'en parler. Les Cohen aiment bien aller au fond des choses.

Cheryl me sourit comme si elle attendait que je lui fasse des confidences. Non, merci! La mère de Mattie s'est toujours montrée extrêmement gentille avec moi, mais tout ce qu'elle sait sur ma famille me rend mal à l'aise. Elle a été l'infirmière de ma mère après son opération. Alors, elle nous a vues, ma mère et moi, dans des moments de grande intimité. J'imagine que, la plupart du temps, on ne s'attend pas à revoir l'infirmière qui s'occupe de nous, ce qui fait qu'on peut pleurer, jurer ou dire plein de trucs embarrassants et faire comme si rien ne s'était jamais passé par la suite. Mais il a fallu que Mattie s'insinue dans ma vie, et maintenant je vois sa mère au moins une fois par semaine.

Lorsqu'il devient tout à fait clair que mes lèvres vont demeurer scellées, Cheryl me serre brièvement l'épaule.

—Mattie t'attend dans la cour arrière. Allez! Vas-y.

Je souris et la remercie, mais pas avant qu'elle m'ait attirée contre elle dans une brève étreinte, et qu'elle m'ait soufflé directement à l'oreille :

— Je suis contente que vous vous soyez réconciliées.

Je marmonne ce qui ressemble à un curieux mélange de « merci » et « à tout à l'heure » et me tire de cette situation à la vitesse de l'éclair.

Dans la cour, je trouve Mattie en train de faire rebondir un volant sur une raquette toute neuve. J'hésite à avancer, car je ne sais pas quoi dire. C'est la première fois que l'on se revoit depuis l'anniversaire de Min, qui semble déjà à des années-lumière. Je suis sur le point de me lancer dans de nouvelles excuses lorsque Mattie m'aperçoit et sourit.

— Te voilà! Je testais simplement la zone de frappe idéale.

— La quoi?

— La zone de frappe idéale est la partie de la raquette avec laquelle on doit frapper le volant, explique-t-elle, et à l'entendre on croirait qu'elle lit dans un manuel. Il faut éviter de le frapper avec le cadre, et dans ce cas le coup s'appelle un bois.

Je m'empare de l'autre raquette appuyée contre le porche. Il ne semble pas y avoir la moindre parcelle de bois là-dedans.

— Pourquoi dit-on un bois?

— Parce que le cadre est en bois. Enfin, pas cette raquette-là, qui est en aluminium, mais à l'origine toutes les raquettes étaient en bois.

— Est-ce que c'est mieux en aluminium?

— Je ne sais pas. C'est le seul type que j'ai trouvé chez Canadian Tire.

— Comment se fait-il que tu en saches autant sur le badminton?

— J'ai fait des recherches. Tiens, je t'ai imprimé une copie des règlements.

Mattie me tend un paquet de feuilles soigneusement agrafées où apparaissent des paragraphes copiés collés provenant de différents sites Internet. Je ne connais rien au monde de plus ennuyeux que de lire sur le badminton.

— Ça fait au moins dix pages, dis-je.

— Et alors?

— Je veux seulement jouer au badminton; pas lire sur le sujet.

— Ça nous donnera un avantage! dit Mattie. Tu ne veux pas tout savoir sur un sujet avant de te lancer?

Voilà ce qui nous différencie moi et Mattie. Je préfère ne pas trop réfléchir et espérer que tout ira pour le mieux. Si je savais tout sur une activité, il est certain que je trouverais une raison pour ne pas la faire. L'an dernier, M. Campbell nous a lu un poème à propos de deux chemins qui divergeaient dans la forêt. Il a dit que, dans la vie, lorsque nous nous trouvons à la croisée des chemins, nous devrions nous rappeler ce poème et réfléchir sérieusement aux options qui s'offrent à nous. Ce qu'il voulait dire, en fait, c'est prenez le chemin le moins fréquenté. Vous pouvez parier qu'avant de prendre un chemin ou l'autre, Mattie Cohen aura consulté toutes les cartes possibles ainsi qu'un navigateur GPS, dressé une liste de pour et de contre, et mené un sondage. Aujourd'hui, le badminton est son chemin, et je suis de la balade.

— Tu ne peux pas simplement me dire les trucs que je dois savoir?

Mattie se hérisse et se tient un peu plus raide. Elle devient pointilleuse quand elle est fâchée. Comme je ne suis pas tout à fait sortie de l'auberge, je fais un effort pour l'amadouer.

— D'accord, je vais lire ça ce soir. Mais pour l'instant, peux-tu me résumer l'essentiel?

Les épaules de Mattie se détendent, et elle passe au mode maîtresse d'école, son favori entre tous.

Une demi-heure plus tard, je suis tellement anxieuse que j'ai l'impression que tout mon corps se compose des cordes d'une raquette de badminton, tendu et prêt à l'action. Il y a beaucoup de règlements au badminton. Ce sport m'a toujours paru si simple, mais apparemment il y a des fautes, des techniques et des stratégies dont il faut tenir compte. Je suis presque certaine que je n'arriverai jamais à toutes les mémoriser. Tel que je connais Mattie, il y aura probablement un test à passer après tout ça.

— Alors, tu as tout compris?

Alléluia! Je bondis sur mes pieds et saisis ma raquette.

— Oui, dis-je, même si c'est faux. Jouons maintenant!

Malheureusement, le badminton est l'une de ces activités sur laquelle tu peux tout lire sans améliorer ton jeu d'un iota, tout est dans la pratique. La pauvre Mattie est probablement la pire joueuse de badminton que je connaisse. Elle bat l'air de sa raquette, envoyant le volant dans toutes les directions sauf vers moi. Elle réussit même à frapper le volant vers l'arrière au-dessus de sa propre tête, une fois!

— Tu sais, dit-elle en haletant, bien des gens croient que le badminton n'est qu'une version plus facile du tennis, alors qu'en fait, le badminton est plus exigeant au point de vue aérobique.

Je voudrais bien l'approuver, mais je suis trop occupée à essayer de reprendre mon souffle après avoir couru partout dans la cour pour attraper les services déments de Mattie. Au bout de plusieurs respirations profondes, je réussis à prononcer quelques mots.

— Est-ce… qu'on… peut… prendre… une… pause?

Mattie fronce les sourcils.

— Tu ne crois pas qu'on devrait continuer à s'entraîner?

Pour toute réponse, je laisse tomber ma raquette et m'effondre sur la pelouse.

— Bon, d'accord. Mais seulement cinq minutes. Je vais nous chercher quelque chose à boire.

Je ferme les yeux, étends les bras et les jambes, et attends que la terre cesse de tourner. D'en haut, je dois ressembler à un X humain marquant l'une des étapes d'une chasse au trésor aérienne. Je respire lentement et profondément, humant l'odeur du gazon fraîchement poussé. Une légère brise refroidit la sueur sur mon corps tandis que la rougeur de ma peau s'estompe peu à peu à mesure que mon flux sanguin redevient normal. Je me sens fatiguée, courbaturée, détendue et débordante d'énergie à la fois. Je devrais vraiment faire de l'exercice plus souvent.

Quelque chose me bloque le soleil.

— Tiens.

J'ouvre un œil et aperçois Mattie, debout près de moi, qui me tend un verre d'eau.

— De l'eau?

Je suis incapable de cacher ma déception. J'espérais avoir droit à de la limonade ou de la racinette, ou quelque chose d'un petit peu plus excitant.

Mattie hoche la tête.

— C'est bon pour la santé.

Je me redresse et prends le verre. Mattie s'assoit à côté de moi, et nous vidons nos verres d'eau « bonne pour la santé » en silence. J'aime sentir la fraîcheur de l'eau se répandre dans mon corps. Le bruit de mon propre sang battant dans mes oreilles finit par disparaître, et mon cœur reprend un rythme plus paisible. Toutes les endorphines que j'ai stimulées en jouant au badminton me disent que c'est le moment de parler du fiasco de la soirée d'anniversaire.

Je dois m'éclaircir la voix à quelques reprises avant de réussir à faire sortir les mots. Endorphines ou pas, ce n'est jamais facile de s'excuser.

— Je voulais te dire, encore une fois, que je suis désolée

à propos de ce qui s'est passé à la fête. Je ne savais même pas que j'allais dire ça, je ne l'avais pas planifié, et il n'y avait aucun sous-entendu dans mes paroles. Aucun.

Ouf. C'est fait.

Mattie me dévisage en plissant les yeux.

— Donc Josh ne t'intéresse pas?

Je me retiens pour ne pas frémir.

— Pas du tout.

— Et tu n'avais aucune intention de m'humilier?

Je trouve le terme « humilier » un peu fort, mais je garde cette réflexion pour moi.

— Bien sûr que non! Pourquoi je ferais ça?

Mattie secoue la tête.

— Je ne sais. Parfois, tu es un vrai mystère, Clarissa. Je ne sais pas ce que tu penses.

— Alors tu conclus aussitôt que j'ai toujours des pensées cruelles?

Mattie soupire.

— Non.

— Alors quoi? Tu penses sincèrement que je jetterais mon dévolu sur un gars qui te plaît? Par pure méchanceté?

— Je suppose que non. Mais certaines filles le feraient.

— Pas moi.

Mattie sourit.

— Tu as raison. Pas toi. Excuse-moi. Je crois que j'ai dramatisé un peu.

Un peu? C'est bien le moins qu'on puisse dire. Mais je laisse passer. Je suis seulement soulagée qu'on puisse redevenir amies comme avant.

— Donc, on passe l'éponge?

Mattie se lève d'un bond et me tend la main. À contrecœur, je la laisse m'aider à me relever.

— Tout à fait, dit-elle. Maintenant, revoyons quelques techniques de service, et nous serons prêtes pour le tournoi. J'ai inclus un schéma à la page cinq de ton paquet de feuilles.

Sapristi.

Athlète, moi?

Le badminton n'est pas un sport qui attire beaucoup de spectateurs, et c'est tant mieux. À notre arrivée dans le gymnase, il y a une poignée de gens assis dans les gradins. Le gymnase est divisé en quatre terrains de badminton. Mattie consulte l'horaire et découvre qu'elle et Josh joueront dans la première ronde, mais que Michael et moi serons de la deuxième.

— Parfait, dit-elle. Comme ça, on pourra s'encourager mutuellement.

Michael et Josh lui sourient, mais ni l'un ni l'autre ne débordent d'enthousiasme à l'idée de jouer les meneurs de claque.

— Bonne chance, dis-je.

Mattie passe ses bras autour de mon cou et me fais un de ses gros câlin.

— Merci!

Benji agite la main dans les gradins.

— Écrase-les! lance-t-il.

Les garçons se serrent la main, et Michael et moi allons nous asseoir à côté de Benji.

— Je me demande si on peut dire bonne chance à des sportifs ou si ça porte malheur, mentionne Benji.

— Pourquoi ça porterait malheur? s'étonne Michael.

— Au théâtre, ça porte malheur de souhaiter bonne chance à quelqu'un, souligne Benji. C'est pour ça que les acteurs ne le disent jamais.

106

— Oh, fait Michael. Je pense que ça n'a pas d'importance dans le domaine des sports. Les gens se souhaitent constamment bonne chance.

Il s'avère que Mattie et Josh auront besoin de beaucoup plus que de la chance pour remporter leur ronde. Mattie se sert surtout de sa raquette comme bouclier, frappant désespérément le volant comme s'il l'attaquait. À la voir, on croirait presque qu'elle en a peur.

— Tu ne m'avais pas dit que vous vous étiez entraînées? murmure Benji.

— On s'est entraînées.

Chaque fois qu'elle rate un coup, Mattie s'excuse et tente de tourner la chose en plaisanterie, rejetant ses cheveux en arrière pour se donner un air charmant probablement. Je crois qu'elle va finir par attraper un torticolis de la façon dont elle fait ça. Josh lui sourit, mais ses sourires paraissent de plus en plus forcés. J'aimerais pouvoir faire quelque chose. Non seulement Mattie va perdre la partie, mais il est fort probable qu'elle perde aussi toute chance avec Josh. Je ne connais pas grand-chose aux garçons, mais je sais qu'ils détestent perdre.

— Je ne peux pas regarder, dis-je.

— Il le faut, insiste Benji. Continue à sourire.

Il met ses mains en porte-voix et crie :

— Vas-y, Mattie!

Derrière nous, quelqu'un ajoute :

— Ouais, va donc prendre quelques leçons.

Je me retourne vivement et lance un regard furieux aux gens derrière nous. Ils éclatent de rire lorsque Mattie se baisse vivement et que le volant rebondit sur sa tête.

— Non, mais! dis-je en les foudroyant du regard. J'essaie de suivre le match.

— C'est ton amie? demande un garçon vêtu d'un maillot de soccer rouge et d'un short assorti.

Son visage m'est vaguement familier.

— Oui, dis-je.

— Joues-tu aussi mal qu'elle? Si c'est le cas, ce sera du gâteau pour Claire et moi.

Les amis de « Maillot rouge » rient. Claire, une jolie fille avec des taches de rousseur, une courte queue de cheval bien fournie et trois boucles d'oreilles de chaque côté, me sourit d'un air suffisant.

— Tu crois que tu peux faire mieux? dis-je d'un ton railleur.

— À vrai dire, oui, répond-elle.

— Hé, Greenblat, c'est ta partenaire? demande « Maillot rouge » en me désignant d'un hochement de tête.

Michael rougit, ce qui entraîne les sifflements des autres garçons. « Maillot rouge » affiche un grand sourire.

— Je ne t'ai pas entendu, Greenblat.

— C'est parce qu'il n'a pas ouvert la bouche, dis-je.

« Maillot rouge » plisse les yeux.

— Si c'est ta partenaire, tu ferais mieux de prier pour que son service soit aussi mordant que ses répliques. On est les suivants. Viens, Claire.

« Maillot rouge » et Claire se lèvent et descendent en passant entre nous, s'assurant de nous bousculer au passage.

— C'est qui, ce gars-là? dis-je.

— Wesley Turner, répond Michael.

— Son nom me dit quelque chose.

— C'est le capitaine de l'équipe de basket, précise Michael.

Il a l'air démoralisé.

— Et alors? dis-je en haussant les épaules.

— Alors, il prend beaucoup de place sur le terrain. Au basket, du moins.

— Je croyais que la saison de basket était finie?

— Elle l'est.

— Et qu'est-ce que le basket a à voir avec le badminton?

Au tour de Michael de lever les épaules.

— Rien, je suppose. C'est juste que je ne l'ai jamais vu être mauvais dans quelque sport que ce soit. Jamais.

— Dans ce cas, on va devoir lui montrer, dis-je.

Michael n'a pas l'air convaincu. Je fouille dans mon sac de sport et en sors le document de trucs et de stratégies que Mattie m'a donné.

— Voilà ce qu'on va faire...

* * *

Je croise Mattie en me rendant sur le terrain. Elle a les joues rouges, mais je ne sais pas si c'est parce qu'elle est totalement embarrassée ou parce qu'elle a couru. Elle n'a pas perdu son sourire malgré le fait qu'ils ont été écrasés 21 à 3. Josh se dirige droit vers le vestiaire, la tête basse.

— Beau match, Josh! lance Mattie.

Il ne se retourne pas. Mattie me sourit faiblement.

— Ne t'en fais pas, ça n'a rien de personnel, dit-elle. Je suis certaine qu'il voulait t'encourager, mais il est très fatigué. Ne t'inquiète pas, je serai là pour t'applaudir!

Elle me serre dans ses bras, moite de sueur, puis je me dirige vers le terrain pour venger l'honneur de mon amie et pire joueuse de badminton de Ferndale.

Wesley « Maillot rouge » Turner est peut-être un bon athlète, mais grâce à Mattie, je suis mieux préparée. Je reste près du filet tandis que Michael couvre la moitié arrière du terrain. Il a peut-être un service plus puissant que le mien, mais je suis douée pour les services sournois où le volant passe tout juste au-dessus du filet avant d'atterrir à l'intérieur de la ligne. Deux fois, Claire me décoche un petit sourire narquois et se détourne du volant, pour le voir tomber juste à ses pieds. La troisième fois, Michael pousse un cri de joie et me présente sa main pour que je tape dedans.

— Bien joué! dit-il.

C'est bon de faire partie d'une équipe gagnante

Wesley se renfrogne et se met à donner des ordres à Claire. Elle n'est pas aussi jolie quand elle est furieuse. Elle me fait presque pitié.

Les services arrivent maintenant rapidement et avec puissance. Dans les gradins, Mattie nous encouragent. Mon cœur bat la chamade, j'ai les jambes en feu et de la sueur dans les yeux; j'adore! Imaginez : moi, Clarissa Louise Delaney, j'aime le sport.

— C'est amusant, dis-je à Michael.

Il me sourit.

— Tu vois? J'avais raison. Tu *es* bonne au badminton.

Au même moment, le volant passe en sifflant près de mon oreille, trop près pour que ce soit un accident. Je tressaille, mais Michael fait un mouvement brusque en avant et renvoie le volant par-dessus le filet aussi vite qu'il est arrivé. Le son du volant touchant les cordes de la raquette résonne encore tout près de mon oreille.

— Faites gaffe! dit Michael.

— Non, *toi*, fais gaffe, rétorque Wesley d'un air méprisant. Tu devrais peut-être accorder plus d'attention au volant et moins à ta partenaire.

— On dirait que tu es jaloux, lâche Michael.

Wesley hausse les sourcils et me jauge d'un coup d'œil.

— Jaloux? De quoi? Je ne vois pas de quoi être jaloux.

Wesley « Maillot rouge » Turner est ce que ma mère

appellerait un moins que rien; pourquoi devrais-je me préoccuper de ce qu'un moins que rien pense de moi? C'est probablement la première fois de ma vie que je suis contente d'être rouge et en sueur; au moins, personne ne peut me voir rougir.

Claire rit.

— Ouais, Greenblat. Tu devais être franchement désespéré si tu n'as trouvé que *ça* comme partenaire.

Ce mot, ce *ça*, flotte dans l'air comme une mauvaise odeur. Tout sentiment de compassion que j'avais encore pour Claire vient de s'envoler. Mais avant que je puisse ouvrir la bouche pour répliquer, Michael lui répond :

— En fait, Clarissa est la seule raison pour laquelle je participe à ce stupide tournoi. Avec un peu de chance, elle vous donnera peut-être quelques trucs quand on en aura fini avec vous.

Et sur ce, il frappe le volant par-dessus le filet et l'envoie directement au sol pour le point final; c'est comme un point d'exclamation qui vient clore une phrase mémorable.

— ET VLAN! dis-je. Beau coup, Michael!

Sans même réfléchir, je laisse tomber ma raquette, accours vers Michael et lui saute dans les bras. Serrer un garçon dans ses bras, ce n'est pas comme serrer une fille dans ses bras. Une fille sent le shampoing, le gel coiffant ou le brillant à lèvres aromatisé tandis que Michael sent la lessive propre, les hot-dogs et autre chose que je n'arrive pas à identifier. Une fille vous attire contre elle jusqu'à ce que vous soyez écrabouillées l'une contre l'autre, mais il ne se passe rien de semblable avec Michael. Partout où Mattie est moelleuse, Michael est musclé. Son t-shirt sous mes mains est mouillé de sueur. Puis, aussi soudainement qu'elle a commencé, l'étreinte est terminée. Je recule, hébétée.

Dans les gradins, Mattie et Benji se serrent fort, sautant, criant de joie et hurlant. À l'autre bout du terrain, Wesley sermonne Claire à cause de son coup manqué. Elle fait semblant de ne pas l'entendre, enlève l'élastique qui retient sa queue de cheval et secoue ses cheveux qui retombent en une jolie petite coupe bien définie. Sa coiffure est impeccable, sans aucun signe de frisottis ou de cette marque que l'élastique laisse dans les cheveux quand on défait une queue de cheval. Maintenant, je la déteste encore plus. Elle me lance un regard furieux en se dirigeant vers le vestiaire des filles, mais je m'en moque; car devant moi, mon partenaire affiche un de ses sourires à la Michael, un côté de sa bouche se crispant légèrement vers le haut, comme s'il tentait de retenir son sourire. Quelque chose traverse mes veines en bouillonnant, et j'en ai presque le souffle coupé. Je me dis que c'est probablement un effet des endorphines produites pendant l'exercice.

* * *

Durant la semaine qui suit, Michael et moi passons la deuxième moitié de notre heure de dîner à complètement anéantir les autres équipes en double de badminton. Nous attirons même une petite foule, si on peut appeler un groupe de dix personnes une foule. Mattie est une amie loyale. Malgré sa défaite embarrassante au début du tournoi, elle est au premier plan à tous les matchs et notre partisane la plus expressive. Elle raconte aussi volontiers à qui veut bien l'entendre qu'elle m'a appris tout ce que je sais. Je ne la corrige pas. Je me dis qu'elle a presque raison. Josh, quant à lui, ne fait pas preuve d'un aussi bel esprit sportif; il n'assiste à aucun de nos matchs.

— Quel mauvais perdant, dis-je.

Mattie se porte aussitôt à sa défense.

— C'est difficile de perdre pour les garçons.

— C'est tout aussi difficile pour les filles, dis-je.

Benji est d'accord avec Mattie.

— Ce n'est pas tout à fait la même chose. Les gars comme Josh établissent leur réputation sur leurs performances sportives. Prends mon père, par exemple. Il parle encore de ses exploits du passé.

C'est vrai. Le Dentonateur nous décrit souvent ses meilleurs matchs séquence par séquence, comme si on était là, dans l'aréna avec lui, alors que ça s'est déroulé des années avant notre naissance.

— Et toi? dis-je à Benji. Jamais tu ne serais aussi mauvais perdant.

— C'est vrai. Mais il faut dire que j'ai beaucoup plus de maturité que la plupart des gars de mon âge.

Je ne peux pas le contredire. Benji a plus de maturité que la plupart des adultes que je connais.

Après avoir remporté six matchs d'affilée, Michael et moi sommes déclarés les champions incontestés du tournoi intra-muros de badminton en double mixte. Pour souligner nos prouesses, on nous remet des rubans bleus sur lesquels sont imprimées les armoiries de l'école, ainsi que deux cartes-cadeaux de chez Pizza Hut.

— J'adore Pizza Hut! s'exclame Michael. Quand est-ce qu'on y va? Es-tu libre samedi soir?

— Je ne sais pas, dis-je en faisant mine de réfléchir.

La vérité, c'est que je suis libre presque tous les soirs, maintenant que Benji a cette fichue comédie musicale et tous ces nouveaux amis dans sa vie.

— Oui, je crois que ça ira.

— Cool. On se rejoint à 19 heures. Je me demande si ça inclut la « fabrique à sundae ».

Mattie attend que Michael soit hors de portée de voix avant de m'agripper le bras et de pousser des petits cris aigus dans mon oreille.

— Te rends-tu compte de ce qui vient de se passer? Michael t'a invitée à une sortie d'amoureux! Je ne peux pas croire que tu en as une avant moi. Tu ne crois même pas à l'amour.

— Il n'est pas question d'*amour* ici, et il ne s'agit pas d'une sortie d'amoureux. On a gagné les cartes-cadeaux dans le respect des règles; ce serait du gaspillage de ne pas les utiliser.

— Oh, je t'en prie. Pourquoi ne peux-tu pas admettre tout simplement que Michael t'a proposé une sortie d'amoureux, une vraie de vraie, dans un vrai restaurant...

— Je ne suis pas certaine qu'on puisse considérer Pizza Hut comme un vrai restaurant.

— Bien sûr que oui, et tu es excitée d'y aller! Avoue-le!

— Très bien. Je suis excitée de manger de la pizza gratuitement dans un restaurant avec mon partenaire de badminton.

Mattie lève les bras au ciel, exaspérée.

— Passons aux choses sérieuses maintenant, dit Benji. Qu'est-ce que tu vas porter?

Ail, ail, ail!

Je ne dis rien à ma mère au sujet de ma soi-disant sortie d'amoureux. Pourquoi le ferais-je? On ne passe pas assez de temps ensemble ces jours-ci, les occasions de se parler se font rares. Entre ses clientes, son entraînement, Denise et maintenant Doug, j'ai l'impression de ne jamais la voir.

De toute façon, plus j'y pense, moins ça me semble être une vraie sortie d'amoureux. Est-ce qu'on peut appeler ça une sortie d'amoureux quand la seule raison pour laquelle le garçon vous invite, c'est que vous avez tous les deux gagné une carte-cadeau? Ce n'est pas comme si un seul de nous deux pouvait l'utiliser; on en a tous les deux gagné. Encore là, je suppose que ça ne veut rien dire qu'on les utilise en même temps. Je pourrais très bien avoir invité Benji, et Michael, un de ses coéquipiers de basket. N'empêche. Est-ce une sortie d'amoureux si le garçon vous rejoint au restaurant au lieu de venir vous chercher chez vous? Mattie me téléphone juste après 18 heures pour voir où j'en suis.

— J'ai dit à ma mère que j'allais souper chez toi.

— Tu sais que je n'aime pas mentir, dit Mattie en soupirant bruyamment à l'autre bout du fil. Mais si tu me promets, juré craché, de venir directement ici après votre souper d'amoureux…

— Ce n'est pas tout à fait un souper d'amoureux.

— Je disais donc, après votre SOUPER D'AMOUREUX, alors je suppose que ce n'est pas vraiment un mensonge.

— Bien.

— Qu'est-ce que tu portes?

Même au téléphone, je perçois l'inquiétude dans sa voix. Franchement. J'ai presque 14 ans; je suis parfaitement capable de choisir ma tenue moi-même.

— J'ai pensé mettre mes vêtements de badminton, comme pour rendre hommage à notre succès.

— Ha, ha, très drôle, dit Mattie qui ne trouve pas ça amusant, de toute évidence.

— J'ai choisi des vêtements ordinaires. Je ne veux pas avoir l'air d'en faire trop.

La vérité, c'est que j'ai essayé quatre ou cinq tenues différentes avant d'opter pour la jupe de Mattie, que je ne lui ai pas encore rendue depuis la fête d'anniversaire de Min, un collant et l'un des t-shirts classiques qui me caractérisent. Celui-ci, j'en ai hérité de ma mère. C'est un vieux t-shirt qu'elle portait au secondaire, et sur lequel on peut voir le dessin d'un blaireau à l'air féroce qui porte un casque de football. Apparemment, la mascotte de l'école secondaire Sir John A. Macdonald était un blaireau. Benji a surnommé ce t-shirt le Poufsouffle.

— Tu portes une jupe, au moins? demande Mattie.

— Oui, en fait, je porte la tienne.

— Oh, cette jupe te va si bien! Tu sais, tu as tellement d'occasions de la porter que tu devrais la garder. J'ai besoin d'une jupe neuve, de toute façon. Celle-là est un peu démodée.

Puis elle s'empresse d'ajouter :

— Sans vouloir te vexer. Elle est un peu démodée pour moi, mais elle convient parfaitement à ton style.

C'est un peu fort, venant d'une fille qui porte presque exclusivement des chaussures à bride avec des chaussettes aux genoux, et des chemisiers boutonnés jusqu'au cou.

— Es-tu nerveuse? demande Mattie.

— Pas vraiment.

— Tu as tellement de chance, dit-elle d'un ton mélancolique.

Je me sens un peu coupable. La seule raison pour laquelle j'ai accepté de participer à ce tournoi de badminton, c'est parce que Mattie avait besoin d'un prétexte pour faire une activité avec Josh. Et me voilà, sur le point de faire ma première soi-disant sortie d'amoureux, alors que Josh ne lui adresse même plus la parole. Ça me paraît injuste.

— Josh n'en vaut pas la peine. Tu trouveras quelqu'un de mieux.

— Tu as raison, soupire Mattie. Quelqu'un de mieux et de plus âgé.

— Et avec de plus beaux cheveux.

— Et qui ne fait pas de planche à roulettes! précise Mattie en gloussant. Bon, je te laisse. N'oublie pas de prendre de la gomme à mâcher après le souper au cas où il t'embrasserait. Comme ça, tu n'auras pas l'haleine de Pizza Hut.

— Arrête! je crie. Il n'y aura pas de baiser, tu peux en être certaine.

Mattie rit.

— C'est ce que tu crois! dit-elle avant de raccrocher.

S'embrasser? Une sortie d'amoureux, ça peut toujours aller, mais s'embrasser est une tout autre affaire. O.K., maintenant, je *suis* nerveuse. Si mon réveil est à l'heure, il est 18 h 30. Ça prend 15 minutes pour se rendre chez Pizza Hut à pied. Si je pars tout de suite, je devrai attendre 15 minutes de plus. Je ne veux pas arriver trop tôt, mais si je reste ici, je vais constamment vérifier mes cheveux et réévaluer ma tenue. Je vais devenir folle.

— Ce t-shirt te va mieux qu'il ne m'allait dans le temps.

— Maman!

Ma mère est appuyée contre le cadre de porte, sirotant une boisson énergisante bleue, l'air nostalgique. Elle rentre tout juste du gym, les joues toutes roses et les cheveux épars. Elle pourrait jouer dans une vidéo de mise en forme.

— Merci, dis-je en tirant sur le t-shirt pour la centième fois.

— J'étais trop prise de là pour bien le porter, déclare ma mère en montrant sa poitrine.

— *Maman!*

— Mais il est mignon comme tout sur toi.

— Merci, dis-je en jetant un coup d'œil au réveil.

Il est maintenant 18 h 35.

— Il faut que j'y aille, dis-je

— Je ne veux pas te retarder, répond ma mère. Amuse-toi bien, ma chouette.

— Toi aussi.

Je me sens mal de lui mentir à propos de ma (soi-disant) sortie d'amoureux.

Je parie que certaines filles, Mattie par exemple, sont impatientes de rentrer chez elle et de tout raconter à leur mère au sujet de leur (soi-disant) sortie d'amoureux. D'une part, je voudrais en faire autant, mais d'autre part, j'hésite. Ma mère en ferait sûrement tout un plat, et je ne suis pas certaine de vouloir en parler pour l'instant. De plus, comment suis-je censée expliquer ce que je ressens pour Michael alors que j'arrive à peine à comprendre la situation moi-même? Il y a aussi le cas de Doug. Si je parle de Michael à ma mère, est-ce que je devrai à mon tour écouter ses histoires à propos de Doug? Parce que je n'en peux plus de l'entendre vanter l'entreprise de Doug, ou ses projets de bricolage, ou son pitoyable chien sans cervelle. Ne pose pas de question, et je ne t'en poserai pas; en ce moment, ça semble être la meilleure philosophie.

Ma mère ne semble pas s'apercevoir de quoi que ce soit, Dieu merci. Elle sourit.

— Ne t'inquiète pas pour moi, dit-elle, je suis une grande fille.

Pourtant, je m'inquiète. Au fond de mon esprit, je me fais toujours du souci pour elle. Et si elle en faisait trop? Et si elle ne se reposait pas suffisamment? Elle a l'air en santé maintenant, et selon les médecins elle fait des progrès étonnants. Mais jusqu'à ce qu'ils prononcent le mot rémission, je crois que je m'inquiéterai toujours un peu. C'est comme la tache de naissance en forme de demi-lune sur ma hanche; les gens la voient rarement, car je peux facilement la cacher, mais elle est là, en permanence.

* * *

Lorsque j'arrive chez Pizza Hut, avec exactement cinq minutes d'avance, il y a une file d'attente pour avoir une table. Je promène mon regard sur la salle à manger, mais je ne vois que des familles et des groupes d'ados; tous s'empiffrent de pizza garnie de fromage bien fondant qui fait crier mon estomac. Aucune trace de Michael.

— Souper d'amoureux? demande l'hôtesse.

Elle est trop maquillée et a l'air malheureuse. Je le serais aussi si je devais porter cette visière aux couleurs de Pizza Hut toute la soirée.

— Non, dis-je froidement. Je cherche simplement mon ami.

L'hôtesse m'adresse un sourire affecté, ce qui fait craquer l'épaisse couche de fond de teint sur ses joues.

— Cet ami, c'est un garçon?

— Oui.

— Un *petit* ami?

— C'est un garçon, et c'est aussi mon ami, dis-je avant d'aller m'asseoir sur la banquette en plastique rouge à côté d'un couple qui attend aussi.

Je fais semblant de m'intéresser au journal que quelqu'un a laissé là. L'hôtesse rit et disparaît dans la cuisine, probablement pour se remettre du brillant à lèvres qu'elle a même sur les dents.

J'essaie de ne pas regarder la grosse horloge au-dessus du poste de l'hôtesse. Il est 18 h 58; 19 h 00; 19 h 05. Combien doit-il s'écouler de temps avant que quelqu'un soit officiellement en retard?

L'affreuse hôtesse revient, les lèvres encore plus luisantes et roses que tout à l'heure. Elle accompagne le couple assis à côté de moi jusqu'à leur table. À son retour, elle se penche au-dessus du comptoir et sourit de nouveau d'un air satisfait.

— Peut-être qu'il t'a laissé tomber.

Je fais comme si je n'avais rien entendu.

— C'est plutôt nul, continue-t-elle d'une voix plus forte, de se retrouver seule chez Pizza Hut.

— Ça ne peut pas être pire que de travailler chez Pizza Hut.

L'hôtesse plisse les paupières au point qu'on ne distingue plus que deux larges traits de crayon noir à la place des yeux. Sérieusement, on dirait qu'elle a utilisé un crayon de cire. Elle semble sur le point de répliquer lorsque la porte s'ouvre. Nous nous retournons toutes les deux. Michael entre en toute hâte, l'air penaud. Il porte un vrai pantalon (pas de jean! pas de survêtement!) et une chemise à manches courtes qui sort de son pantalon d'un côté. Il me sourit et passe une main dans ses cheveux pour les aplatir; il s'est fait une raie sur le côté et les a ramenés vers l'avant, comme s'il était à la une de *Teen People*. Ses cheveux ne sont pas tout à fait assez longs pour cette coiffure, et il a de nombreux épis qui roulent sur eux-mêmes. C'est là que j'en ai la certitude : il s'agit bel et bien d'une sortie d'amoureux.

Le regard de l'hôtesse se pose sur Michael, puis sur moi.

— C'est lui?

Je me redresse légèrement.

— Oui, c'est mon *ami*.

— Salut, Clarissa! Il y a longtemps que tu attends?

— Pas vraiment, dis-je, même si ce n'est pas vrai.

L'hôtesse laisse échapper un petit ricanement de mépris.

— Par ici, lâche-t-elle sèchement.

Pourquoi faut-il que les sorties d'amoureux aient lieu dans des endroits publics? J'ai l'impression que tout le monde nous regarde marcher jusqu'à notre table. Une femme que je ne connais même pas, et qui s'affaire à essuyer de la sauce à pizza sur la figure de son enfant, lève les yeux et me sourit. A-t-elle deviné que nous sortons ensemble pour la première fois rien qu'à nous regarder? Elle ne sait pas que j'évite habituellement les jupes, et que les cheveux de Michael, séparés par une raie au milieu, tombent généralement en jolies vagues de chaque côté de son visage. Je tripote le bas de mon t-shirt Poufsouffle, la seule chose qui m'est familière dans cet environnement bizarre.

— Voilà, *les enfants*, dit l'hôtesse en prenant un peu trop de plaisir à nous appeler ainsi.

Je lui jette un regard assassin, mais Michael ne semble pas s'en rendre compte.

— Merci, dit-il en s'emparant du menu. Hé, regarde, ils ont de la pizza à croûte farcie double!

L'hôtesse me regarde en remuant ses sourcils trop épilés.

— Amusez-vous bien, dit-elle en retournant à son poste

d'un pas nonchalant.

Même si je suis contente qu'elle soit partie, me voilà maintenant seule avec Michael. Normalement, il y d'autres personnes avec nous, d'autres personnes bavardes, comme Mattie. Ce soir, je vais devoir entretenir la conversation. Heureusement, Michael est occupé à étudier le menu, et je fais de même.

— Tout a l'air bon, dit Michael. Qu'est-ce que tu prends?

— Probablement juste de la pizza. Je ne veux rien de trop compliqué.

— Les pâtes sont très bonnes ici, fait remarquer Michael. On pourrait prendre une des assiettes combinées et partager.

Je n'ai jamais songé à commander des pâtes chez Pizza Hut. Ça ne s'appelle pas Pasta Hut, après tout. Mais ce soir, il semble que ce soit de mise d'essayer de nouvelles choses.

— Ça vient aussi avec une salade et un pichet de boisson gazeuse, lit Michael. Quelle sorte de boisson gazeuse aimes-tu?

— Orangeade.

Michael sourit.

— Moi aussi. Et la salade?

— César.

— Moi aussi.

C'est à mon tour de sourire.

La serveuse est à peu près du même âge que l'hôtesse, mais beaucoup plus aimable.

— Comment allez-vous ce soir? demande-t-elle. Et qu'est-ce qui vous amène chez Pizza Hut?

— En fait, on a gagné un tournoi de badminton, répond Michael en se tournant vers moi le visage rayonnant.

Je commence à avoir mal aux joues à force de sourire, mais je suis incapable d'arrêter.

— Pas vrai! s'exclame la serveuse. Eh bien, bravo! Moi, je suis nulle au badminton.

C'est facile de voir pourquoi elle a grimpé les échelons, et pas l'hôtesse à l'air maussade.

— Avez-vous eu le temps de regarder le menu?

— Je crois qu'on a fait notre choix, dis-je, et Michael approuve d'un hochement de tête.

La serveuse prend un crayon derrière son oreille et tourne la page de son bloc de factures.

— Alors, qu'est-ce que les champions aimeraient manger?

— Nous allons prendre l'assiette combinée de pâtes et de pizza, dis-je.

— Vous savez que vous obtenez une salade et un pichet de boisson gazeuse avec ce plat, n'est-ce pas?

— Nous avons choisi la salade César…

— … et l'orangeade, termine Michael.

— Bon choix, dit la serveuse. Et puisque vous êtes de grands champions de badminton, ça vous dirait que j'ajoute du pain à l'ail gratiné, offert par la maison?

— Merci! dit Michael.

— Il n'y a pas de quoi. Je m'appelle Mélanie, si vous avez besoin de quoi que ce soit.

Mélanie s'en va, et Michael et moi nous sourions pendant un moment. Je ne trouve rien à dire; c'est le vide total dans mon esprit. Tout ce qui me vient à l'esprit, c'est que sa nouvelle coiffure me plaît de plus en plus, même si je ne l'aimais pas vraiment au début. Il a l'air plus âgé. Mais ce n'est pas le genre de choses qu'on dit à un garçon.

Le silence se fait de plus en plus embarrassant.

— Tu es jolie, finit par dire Michael.

— Merci. Toi aussi. J'aime bien tes cheveux.

Je ne peux pas croire que j'ai dit ça. Apparemment, Michael non plus. Il rougit et porte immédiatement la main à ses cheveux pour les lisser d'un côté.

— Tu as remarqué?

— Bien sûr que j'ai remarqué. Je vis avec une coiffeuse.

— Oh, c'est vrai. Comment va ta mère?

— Bien, enfin... elle va mieux. Pour le moment, du moins. Elle a fait de la chimio et tout.

Michael hoche la tête, mais n'ajoute rien. Je suis soulagée. Ce n'est pas approprié de parler de cancer lors d'une sortie d'amoureux. Mélanie nous apporte le pain à l'ail gratiné. Je ne suis pas certaine, mais on dirait qu'elle a fait mettre encore plus de fromage que d'habitude. C'est à peine si on voit le pain sous toute cette merveille boursouflée. Michael et moi attaquons, et me voilà dispensée de faire la conversation une fois de plus. C'est sûrement pour ça que les gens vont au restaurant quand ils font une sortie d'amoureux; on passe la moitié du temps à manger au lieu de parler.

— Une fois, mon petit frère a mangé tout un panier de pain à l'ail gratiné à lui tout seul, raconte Michael.

— Quel âge avait-il?

— Cinq ans. Il a tout vomi une heure plus tard.

— Dégoûtant, dis-je en bloquant les images qui pourraient me venir à l'esprit. As-tu seulement un frère?

Michael secoue la tête.

— Non, j'en ai trois : Théo, David et Solly.

— Ça alors, ça fait beaucoup de garçons, dis-je tout haut. Et je me dis tout bas : « Pauvre Mme Greenblat. »

— Ça peut devenir assez dément chez nous parfois, admet Michael. Surtout avec le chien, Rambo.

— Est-il aussi fou que son nom le laisse entendre?

Michael me décoche un grand sourire.

— Pire encore.

Je suis en train de me dire que la vie de Michael ressemble à mon pire cauchemar lorsque Mélanie apporte le plus grand bol de salade César que j'aie jamais vu.

— Fromage parmesan?

— Oui, s'il vous plaît, répondons-nous en même temps.

Mélanie pousse un sifflement d'admiration.

— Je vois pourquoi vous formez une si bonne équipe. Je ne voudrais pas vous affronter sur un terrain de badminton

— Tout ça, c'est grâce à Clarissa, dit Michael avec gentillesse. C'est elle qui avait un plan.

Mélanie me sourit et me fait un petit clin d'œil. Par chance, Michael ne semble pas s'en apercevoir, trop occupé qu'il est à enfourner de pleines fourchettes de laitue dégoulinante de vinaigrette César.

Je ne suis pas Mattie et je trouve ridicule de manger de toutes petites quantités de nourriture devant les garçons, mais je dois dire qu'avec tout ce pain à l'ail gratiné et cette salade, je commence à être rassasiée. Et on n'en est même pas au plat principal. Je pose mes ustensiles et recule légèrement ma chaise.

— C'est vraiment génial, dis-je. C'est comme un repas à quatre services gratuit.

— Et n'oublie pas le dessert, ajoute Michael.

— J'avais complètement oublié le dessert! Jamais je ne pourrai manger autant.

— Je parie que je peux deviner ce que tu mets sur ta coupe de crème glacée, dit Michael d'un air fanfaron.

— Oh, vraiment?

— Vraiment.

— O.K., devine.

— Comme je sais que tu aimes beaucoup le chocolat, je dirais sauce au chocolat, pépites de chocolat et Smarties. Je me trompe?

— Non, dis-je à contrecœur. Mais tout le monde aime le chocolat. Quoi d'autre?

— Même si je trouve que c'est tout à fait dégoûtant de les mélanger avec de la sauce au chocolat, je dirais des Nerds.

Je dois faire un effort pour ne pas rester bouche bée.

— Alors? J'ai raison?

— Comment as-tu deviné?

— Facile. Tu achètes toujours des Nerds quand on va au dépanneur. Ce sont tes bonbons préférés.

— Mais comment le sais-tu? dis-je d'un ton insistant.

Michael me regarde droit dans les yeux.

— Parce que tu me plais.

Au début, je ne suis pas sûre d'avoir bien entendu; mais il baisse les yeux et fixe sa salade, poussant un croûton à gauche et à droite dans son assiette, comme si c'était une question de vie ou de mort. À quelques reprises, j'ouvre la bouche pour parler, mais ce qui en sort est plutôt confus et ressemble à quelque chose comme ça :

— Parce que je… Oh, O.K. Bien.

Michael lève vers moi des yeux pleins d'espoir.

— Bien? répète-t-il.

J'ai l'impression de m'être fait coincer. C'est bien, non? Ça me plaît de plaire à Michael, et même si je ne l'avouerais jamais, il me plaît assez, lui aussi. Et maintenant que c'est au grand jour, qu'est-ce qui va se passer? Est-ce qu'on commence à passer du temps ensemble, juste tous les deux? Est-ce que je dois commencer à l'appeler mon petit ami? Je ne pense pas que je pourrais faire ça. Il vaut mieux être aussi vague que possible.

— Oui, bien, dis-je.

Michael a l'air perplexe, puis soulagé, et Mélanie arrive ensuite avec la pizza. Dieu merci.

— Et voilà, dit-elle. Je reviens tout de suite avec vos pâtes. Vous vous êtes gardé un peu de place, j'espère?

— À peine, dis-je d'une voix faible, toujours sous le choc après la déclaration de Michael.

Je me sers un morceau de pizza et m'applique à manger encore une fois.

— Vous avez eu de la chance d'obtenir une table tout à l'heure, dit Mélanie. Il y a foule ici ce soir. Regardez-moi cette file.

Michael et moi jetons un coup d'œil vers le groupe de personnes qui patientent sur les banquettes en plastique près de la porte : un couple âgé; une famille avec plusieurs enfants; et juste devant, attendant qu'une table se libère, ma mère et Doug.

— Hé, est-ce que ce n'est pas…

— Oui, oui, c'est elle.

Je dépose mon morceau de pizza à moitié mangé sur mon assiette et me laisse glisser sur ma chaise. J'ai le visage en feu et je sens que je vais vomir.

— Avec qui est-elle? demande Michael.

— Doug, dis-je, sans offrir plus d'explications.

— C'est son amoureux?

J'enfouis ma tête entre mes mains et gémis.

Michael m'observe en fronçant les sourcils.

— Ça n'a pas l'air d'aller.

— Je crois que j'ai trop mangé.

Peut-être que c'est vrai, après tout. J'ai bel et bien l'estomac dérangé.

— Tu vas vomir? demande Michael, l'air un peu inquiet,

mais surtout dégoûté. Tu devrais peut-être aller aux toilettes.

M'esquiver aux toilettes, c'est exactement ce que j'ai envie de faire. Malheureusement, il faudrait pour ça que je passe juste devant la file. Non, merci. Je continue plutôt de me laisser descendre sur ma chaise en espérant qu'ils ne me verront pas. Peut-être qu'ils seront trop absorbés l'un par l'autre pour remarquer les gens autour d'eux. Le couple à côté de nous fait signe à Mélanie et demande la note.

— Oui, bien sûr, dit Mélanie en débarrassant. Hé, Krista, lance-t-elle par-dessus son épaule.

L'hôtesse à l'air grognon se tourne vers elle.

— Une table pour deux dans un instant.

Voilà comment je me retrouve à sortir à deux couples, ma mère et Doug et Michael et moi.

À la nôtre!

Les tables chez Pizza Hut sont très près les unes des autres afin de pouvoir accueillir le plus de clients possible; alors même si en théorie ma mère et Doug sont assis à une table séparée, autant dire qu'on est tous assis ensemble. Les dix secondes que Mélanie met à conduire ma mère et Doug à la table à côté de nous me paraissent les plus longues de ma vie. Surpris, Doug y regarde à deux fois avant de lever sa grosse main pour nous saluer; ma mère se contente de sourire.

— Eh bien, regardez qui est là, dit Doug.

— Tu as changé, Mattie, dit ma mère d'un ton calme, son regard se posant sur Michael puis sur moi.

Michael laisse échapper un petit rire nerveux.

— Bonsoir, madame Delaney. Vous vous souvenez de moi? Je suis…

— Michael Greenblat, oui, je me souviens. On a fait connaissance à la fête-surprise pour mon retour à la maison. Très contente de te revoir.

Doug tend sa main épaisse à Michael.

— Doug Armstrong, enchanté, mon garçon.

Michael lui serre la main.

— Michael Greenblat, hum, monsieur.

Doug lui donne une tape sur l'épaule et rit presque aux éclats. Des gens tendent le cou pour voir ce qui se passe. Je ne sais pas pourquoi, mais ma mère a le don de s'entourer de gens bruyants. Il n'y a pas plus exubérant que Denise et

Doug dans toute la ville.

— Ça ne t'ennuie pas qu'on s'installe à cette table, n'est-ce pas, Clarissa? demande ma mère d'un ton plein de sous-entendus.

— Non. Bien sûr que non.

Mélanie a observé cette scène désastreuse avec un sourire curieux.

— Attendez, dit-elle, vous vous connaissez?

Ma mère passe un bras autour de mes épaules. Elle me serre avec un peu plus de vigueur que d'habitude.

— Clarissa est ma fille.

— Oh...

La serveuse a l'air à la fois soulagée et un peu coupable. Tandis que ma mère se tourne pour s'asseoir, Mélanie me jette un coup d'œil furtif et articule « désolée » en silence.

Tu n'es pas la seule, Mélanie, dis-je intérieurement.

— Qu'est-ce qui vous amène chez Pizza Hut? demande Doug en prenant un morceau de notre pizza.

Incroyablement, il réussit à le manger en moins de trois bouchées.

Michael me considère d'un air intrigué.

— Clarissa ne vous l'a pas dit? demande-t-il, son regard se posant ensuite sur ma mère, sur Doug, puis de nouveau sur moi.

Faisant fi de la douleur dans mon estomac et de la sensation de brûlure sur mes joues, je me prends une généreuse portion de pâtes.

— Dit quoi? demande Doug qui contemple la pizza, mais se retient pour ne pas en prendre un autre morceau.

— On a gagné des cartes-cadeaux dans un tournoi de badminton, déclare Michael.

— Oh, oui, ça me revient maintenant, dit ma mère.

Sous la table, son pied appuie légèrement sur mon mollet. Je lui décoche un sourire reconnaissant, mais elle fait comme si elle ne l'avait pas vu.

— Sans blague? s'exclame Doug sincèrement impressionné. Je ne savais pas que tu étais une athlète, Clarissa.

— C'est seulement du badminton, dis-je en marmonnant, la bouche remplie de spaghettis. De plus, c'est Michael qui a récupéré tous les coups difficiles.

— Tu as fait plein d'attaques-surprises, proteste Michael. Et c'est toi qui as élaboré nos stratégies.

— Ça mérite un toast, dit Doug.

Il lève son verre d'eau. Ma mère et Michael l'imitent. De mauvaise grâce, je lève mon propre verre d'orangeade.

— À Michael et Clarissa, nos champions de badminton.

Nous choquons nos verres en plastique et prenons tous une gorgée de nos boissons respectives. À la table derrière nous, tout le monde s'est retourné pour nous regarder. Doug s'adresse à la mère qui a un bambin sur les genoux. Le visage du petit est barbouillé de sauce tomate.

— Saviez-vous que vous étiez assis près de deux champions de badminton?

La dame sourit, charmée, et secoue la tête.

— Non, je ne savais pas. Félicitations.

Le bébé brandit son poing sous le nez de Doug, qui prend un air abasourdi avant de faire semblant de manger les doigts du bambin. Tout le monde rit, mais personne n'est plus heureux que le bébé. Sauf ma propre mère, qui dévisage Doug, l'air béat. Je crois que je vais vomir.

— Alors, est-ce que ce talent pour le badminton est héréditaire? me demande Doug.

Puis il se tourne vers ma mère et ajoute :

— Serait-ce un autre des nombreux talents d'Annie Delaney?

— Oh, arrête, dit ma mère, mais elle sourit comme si elle ne le pensait pas vraiment.

— Je ne sais pas, dis-je honnêtement. Je ne l'ai jamais vue jouer.

Doug se penche en avant, les coudes sur la table, et la regarde bien en face.

— Dans ce cas, moi, Douglas Armstrong, te propose à toi, Annette Delaney, de faire une partie de badminton à mon gym. Je te laisse choisir la date. Le perdant devra préparer un souper aux chandelles pour le gagnant.

Ma mère rit, tend le bras, et ils scellent leur accord d'une poignée de main.

— Marché conclu, dit ma mère.

Durant le reste de la soirée, donc, Michael et moi soupons en compagnie de ma mère et de Doug. Ça se passe quand même bien. Le seul point positif dans le fait de partager une table, c'est qu'il y a maintenant plus de personnes avec qui parler, et que Michael et moi n'avons plus à nous donner tant de mal pour alimenter la conversation. Michael semble trouver Doug sympathique. Ils parlent de basketball, du gym de Doug et d'un jeu vidéo que je ne connais pas.

Je ne sais trop comment, mais nous finissons la pizza et prenons un dessert, et c'est finalement le moment de partir.

— Est-ce que vous rentrez à pied? demande ma mère en jetant un coup d'œil à la nuit tombante par la fenêtre.

— Oui, dis-je, tout en pensant le contraire, car je dois marcher jusque chez Mattie.

Mais je ne peux pas dire ça sinon Michael le saurait et ma mère se rappellerait que j'étais censée passer la soirée chez Mattie.

— Je vais la raccompagner, madame Delaney, dit Michael.

— Bravo, dit Doug.

— Bonne soirée, dit ma mère, les yeux brillants.

— Merci, madame Delaney.

Ma mère tend le bras et serre la main de Michael.

— Appelle-moi Annie.

— Merci, Annie. J'ai été ravi de vous revoir.

— Moi aussi.

Puis elle ajoute en montrant du doigt la tignasse qui lui tombe constamment dans l'œil :

— Et Michael, passe après l'école quand ça t'adonneras et je rafraîchirai ta coupe de cheveux. J'aime bien comment tu t'es coiffé. Très branché, très tendance.

— O.K., cool, dit Michael.

Doug lève le poing, et tous les deux se cognent les jointures dans un geste amical.

— À bientôt.

Michael présente les cartes-cadeaux à la caisse, et nous sortons.

À l'abri

— Doug a l'air d'un chic type, dit Michael.

Nous marchons en direction de chez moi. Je prends soin de garder mes mains dans mes poches, au cas où Michael aurait l'idée folle de me tenir la main. Je me retiens pour ne pas frissonner; il fait beaucoup plus froid que lorsque je suis partie, et j'ai oublié mon blouson à la maison. Si j'ai l'air d'avoir trop froid, j'ai peur que Michael m'offre le sien ou, pire encore, qu'il essaie de passer son bras autour de mes épaules.

— Ouais.

— Ça fait longtemps qu'ils sortent ensemble? demande Michael.

— Ils ne sortent pas ensemble, dis-je sèchement.

— Oh. J'ai cru que c'était le cas.

— Si c'était le cas, est-ce qu'ils se seraient assis avec moi et mon partenaire de badminton?

Michael a l'air blessé. Je ne sais pas si c'est parce que j'ai insinué qu'il n'était pas assez intéressant pour mériter l'attention de Doug, ou parce que je l'ai appelé mon partenaire de badminton et non mon petit ami. Je fais marche arrière.

— Il est trop tôt pour vraiment savoir s'ils sortent ensemble ou pas.

Michael hoche la tête pour montrer qu'il comprend.

— Ça doit te faire bizarre de voir ta mère sortir avec un homme. Je peux à peine supporter mes parents quand ils se

134

disent des mots doux, et ils s'embrassent devant moi depuis que je suis né.

J'arrête presque d'avancer.

— Tu crois qu'ils s'embrassent?

— Qui?

— Ma mère et Doug!

Michael me dévisage comme si j'arrivais d'une autre planète.

— Eh bien, probablement. Ce sont des adultes. Tout le monde s'embrasse.

Nous nous sommes arrêtés. Est-ce mon imagination ou Michael se tient un peu plus près? Il se racle la gorge, et semble ne plus savoir où regarder. Un instant ses yeux se posent sur moi, l'instant d'après, ils atterrissent sur ma bouche, puis au-dessus de mon épaule. J'ai chaud et froid à la fois. Je me frotte les bras pour chasser cette sensation et recommence à marcher, un peu plus vite maintenant.

— Ils ne s'embrassent pas devant moi, en tout cas.

Michael presse le pas pour me rejoindre. Nous faisons le reste du trajet en silence. Enfin, nous arrivons chez moi.

— Et voilà! dis-je gaiement.

Ma voix sonne faux; même moi je m'en rends compte. Tout ce que je veux, c'est franchir la porte et être à l'abri de tout baiser. Mon cœur bat si fort dans ma poitrine que c'est un miracle que Michael ne l'ait pas entendu. J'en ai les mains qui tremblent tandis que je cherche maladroitement ma clé.

— Merci de m'avoir raccompagnée.

— Pas de problème, dit Michael avec un haussement d'épaules.

Il sourit et fait un pas vers moi.

— J'ai passé une belle soirée.

— Moi aussi. Il faut que je rentre, dis-je au bout d'une seconde.

Michael approuve d'un signe de tête, mais ne s'éloigne pas d'un millimètre.

— O.K.

— Je t'inviterais bien à entrer, mais ma mère n'apprécierait probablement pas.

— Ça ne fait rien... Tu es vraiment une excellente joueuse de badminton, Clarissa.

Avant que je puisse ajouter quoi ce soit, il poursuit :

— Et tu es très intelligente, aussi.

— Mais non. Je pourrais te nommer dix personnes de notre classe qui sont plus intelligentes que moi.

— Pas moi.

Michael fait un autre pas dans ma direction. Il se trouve maintenant dans le halo jaune que jette l'ampoule du porche.

— Tu es excellent, toi aussi, dis-je sans conviction en cherchant la poignée de la porte à tâtons. Au badminton et à l'école.

Je lance un regard paniqué vers la maison de Benji pour voir s'il est assis à la fenêtre, mais la maison est plongée dans le noir. Il est probablement parti au karaoké avec ses amis du théâtre. Je me sens abandonnée. Michael réduit encore l'espace entre nous, un petit pas à la fois.

— À lundi!

D'un seul mouvement fluide, je parviens à tourner la clé et à pousser la porte d'un coup d'épaule. Je ne me retourne même pas pour lui faire un signe de la main. Une fois à l'intérieur, je m'adosse contre la porte jusqu'à ce que je sois certaine que Michael est parti. Je ferme les yeux et respire profondément en attendant que mon cœur cesse de cogner dans ma poitrine. Puis sans comprendre, des larmes se forment au coin de mes yeux. Je renifle furieusement pour refouler mes larmes. Je ne sais pas pourquoi je suis aussi bouleversée. J'ai la tête qui tourne et les mains moites à l'idée qu'on aurait pu s'embrasser. Mais je me sens encore plus mal en pensant à Michael qui est sûrement entré chez lui, complètement abattu.

Qu'est-ce qui ne va pas chez moi? À la place de Mattie ou de toute autre fille de ma classe, je me précipiterais probablement sur le téléphone pour raconter à ma meilleure amie comment s'est passé ce premier baiser magique avec Michael. Au lieu de ça, je reste là à pleurnicher dans le noir parce que j'ai eu la trouille. Je ne dis pas que je ne voudrai *jamais* l'embrasser; seulement, je ne veux pas le faire maintenant ni dans un avenir rapproché. Je doute que Michael se sentirait mieux en entendant ça. Mattie a raison : je ne suis pas normale. Michael serait mieux avec une autre. Une autre qui, à tout le moins, serait heureuse de l'embrasser.

* * *

Plus tard, chez Mattie, en buvant un chocolat chaud fait avec du lait et garni de mini-guimauves, je lui raconte toute l'histoire; sauf le bout où j'ai pleuré dans le noir.

— Tu me trouves stupide?

Je m'attends à ce qu'elle me sermonne sévèrement parce que j'ai gâché ce moment parfait.

— Non, répond-elle. Tu es une romantique. Tu ne te vois pas peut-être pas comme ça, mais moi je le vois. Tu veux échanger ton premier baiser avec la bonne personne, au bon moment.

Je réfléchis à ce qu'elle vient de dire pendant un moment.

— Mais si c'était la bonne personne et le bon moment,

et que j'ai tout gâché?

— Non, dit Mattie d'un air songeur. C'était la bonne personne, mais pas le bon moment. Je suis parfaitement convaincue que Michael et toi êtes destinés à être ensemble. Seulement, tu n'es pas prête. Et ça ne fait pas de toi un bébé, mais plutôt une fille intelligente.

J'éprouve une sensation de bien-être et de chaleur, et pas seulement à cause du chocolat chaud.

— Michael a dit que j'étais intelligente.

Mattie roule les yeux.

— C'est parce que tu l'es.

— Toi aussi. Tu es incroyablement perspicace et tu fais le meilleur chocolat chaud au monde.

Mattie glousse.

— Tu sais, c'est probablement une bonne chose que vous ne soyez pas embrassés ce soir.

— Pourquoi?

— Parce que tu dois avoir une terrible haleine de pizza.

Je lui lance une guimauve à la tête, mais elle se relève brusquement à la dernière seconde et l'attrape dans sa bouche. Nous éclatons de rire toutes les deux.

— C'est ce qu'on appelle avoir de bons réflexes, dis-je. Dommage que tu n'aies pas pu les utiliser au badminton.

Mattie a un hoquet de surprise et, durant une seconde, je me dis qu'il est peut-être encore trop tôt pour ce genre de commentaire. Mais elle m'adresse un grand sourire, prend une poignée de guimauves et lance sa contre-attaque.

— Retire ce que tu as dit! crie-t-elle en riant.

— Jamais!

Et nous continuons à nous bombarder de guimauves jusqu'au moment où Cheryl entre dans la cuisine et nous dit de nous calmer.

Argumentation

Le déjeuner et la majeure partie de l'avant-midi passent sans que j'aie à parler du fiasco de notre sortie à quatre de la veille avec ma mère. Du moins jusqu'au moment où elle cogne à la porte de ma chambre.

— Es-tu encore en pyjama? C'est l'heure de ta coupe.

Je passe mes mains dans mes cheveux emmêlés qui se dressent dans toutes les directions sur ma tête.

— Je les aime de cette longueur.

— Je vais simplement rafraîchir ta coupe, alors.

Pour une oreille inexercée, le ton de ma mère peut sembler léger, mais je perçois la résolution dans sa voix. Inutile de résister. Je suis prise au piège.

— O.K.

Je la suis en bas jusqu'au Bazar Coiffure.

Normalement, ma mère allumerait la radio et fredonnerait (d'une voix fausse) en préparant son arsenal; mais aujourd'hui, elle passe tout de suite aux choses sérieuses. Je grimpe sur la chaise. Le cuir grince sous mes cuisses. C'est le seul bruit dans le salon par ailleurs sinistrement silencieux. Ma mère passe ses doigts dans mes cheveux (un peu trop vigoureusement à mon goût) en aboyant des instructions.

— Penche la tête. Tourne vers la gauche. Regarde droit devant. Hum…

Je voudrais tellement engager la conversation, parler de n'importe quoi; mais la seule chose qui me vient à l'esprit, c'est notre sortie d'hier, et c'est précisément le sujet que j'essaie d'éviter. Je ne dis pas un mot, donc, même lorsque ma mère m'asperge le visage et non les cheveux, et qu'elle m'enfonce le peigne dans le cuir chevelu. Il n'y a rien de pire qu'un salon de coiffure silencieux. Ma mère prétend que c'est un signe de méfiance entre la coiffeuse et sa cliente.

Je m'éclaircis la voix un million de fois, mais « pas trop court » sont les seuls mots que je réussis à prononcer.

— Ne t'inquiète pas, dit ma mère d'un ton jovial. Tu es en bonnes mains.

Elle étale le tablier devant moi et l'attache bien serré autour de mon cou. L'ennui quand on se fait couper les cheveux, c'est qu'il n'y a nulle part où aller. On est prisonnier de la chaise, à la merci d'une femme armée de ciseaux. Et parfois d'un rasoir.

— Alors, comment va Mattie?

— Bien. On a bu du chocolat chaud.

— Quand ça?

— Hier soir.

— À quelle heure, hier soir? Parce qu'il me semble t'avoir vue chez Pizza Hut vers 19 h 30.

Que répondre à ça?

— J'imagine qu'il devait être autour de 20 h 30.

— Donc, c'était après ton souper chez Pizza Hut... insiste ma mère.

— Oui.

— ... avec Michael...

— Oui.

— ... qui est ton partenaire de badminton.

— Oui.

— Intéressant.

Ma mère coupe comme une forcenée. Je m'inquiète de

la quantité de cheveux qui s'empilent à mes pieds sur le plancher.

— Tu ne me demandes pas comment a été *ma* soirée?

— Comment a été ta soirée? dis-je docilement.

Ma mère sourit, mais son sourire est un peu trop machiavélique pour me rassurer.

— Merveilleuse. Je me suis bien amusée avec Doug, qui est charmant comme tout. Nous avons soupé et sommes allés au cinéma. Merci de m'avoir posé la question.

Je gigote sur mon siège. Il fait chaud sous ce tablier.

— Donc, tu sors avec lui? Pour vrai?

Ma mère cesse de couper et me regarde dans le miroir.

— Oui. Je sors avec lui. Pour vrai. Et toi, sors-tu avec lui?

— Non!

Ma mère plisse les yeux.

— En es-tu sûre? Car ça m'avait tout l'air d'une sortie d'amoureux.

— Ce n'était pas une sortie d'amoureux. Nous devions utiliser nos cartes-cadeaux, sinon elles auraient été perdues. On ne peut pas ne *pas* utiliser des cartes-cadeaux…

Ma voix s'estompe, car je suis douloureusement consciente que ma réponse était lamentable.

— Est-ce qu'il y aura d'autres sorties avec Michael? demande ma mère.

Je hausse les épaules.

— Peut-être. Non. Je ne sais pas. Ce n'est pas comme toi et Doug.

— Qu'est-ce que tu veux dire par là?

— Je veux dire que je ne passerai pas tout mon temps à lui parler ou à parler de lui, ni à faire des mamours à son imbécile de chien.

Ma mère pose les deux mains sur la chaise et la fait

pivoter, ainsi on se retrouve face à face.

— Qu'est-ce que tu as? Tu te balades avec un garçon que je connais à peine, et moi, je ne pourrais pas passer quelques heures avec Doug, qui s'est toujours montré d'une gentillesse exemplaire avec toi? Est-ce que je n'ai pas le droit d'être heureuse, moi aussi?

— Je te rends malheureuse, c'est ça?

— Clarissa, ne fais pas ça. Tu déformes ce que je dis. Bien sûr que je suis heureuse avec toi. Peut-être que je ne suis pas enchantée de ton attitude ces jours-ci, mais tu as toujours été ma plus grande joie. N'empêche que je suis une adulte, et que j'ai le droit de faire des sorties d'amoureux et d'avoir du plaisir et de tomber amoureuse même.

— Tomber amoureuse?

— Oui, tomber amoureuse. Est-ce que je ne l'ai pas mérité?

— Oui.

— Bien. Alors on est d'accord.

Pendant un instant, je crois que c'est terminé et qu'elle va reprendre son rôle de coiffeuse et moi de cliente, et que dans dix minutes je pourrai m'enfuir aussi loin que possible de ce salon. Mais elle n'a pas fini.

— Franchement, à voir comment tu te comportes, on croirait que tu es l'enfant la plus brimée au monde. Est-ce que j'ai déjà, dans ton souvenir, invité un homme à souper chez nous?

— Non.

— Ou fait une vraie de vraie sortie d'amoureux?

— Non.

— Exactement. Tu sais, il a des femmes célibataires qui ne laissent pas leurs enfants interférer avec leur vie amoureuse. J'aurais pu multiplier les conquêtes, mais je ne l'ai pas fait. Ce n'est pas mon genre. Ma vie, c'est toi et ce salon, et c'est très bien comme ça. Mais lorsque quelqu'un comme Doug apparaît, on se dit que peut-être, on pourrait avoir plus, tu comprends?

Non, je ne comprends pas. Ce n'est pas vraiment le genre de conversation que je souhaite avoir avec ma mère. Je n'aime pas entendre que le salon et moi, ça ne lui suffit plus tout à coup. Un furieux élan de rage comme je n'en ai pas éprouvé depuis longtemps s'empare de moi, et je dois agripper les bords de la chaise pour rester calme. Ce n'est pas vraiment à elle que j'en veux; j'en veux à l'univers, ou à Dieu, ou à cette soi-disant puissance plus grande que nous qui a empoisonné le corps de ma mère avec le cancer et est venue tout gâcher. Avant le cancer, on ne se disputait jamais comme ça. Avant le cancer, le salon et moi lui suffisions, et Doug n'était pas dans le décor. Qu'est-ce que ça peut faire qu'elle ait été opérée, que la chimio soit terminée et que ses cheveux repoussent? Nous voilà, un an plus tard, et le cancer détruit toujours nos vies.

— Comme toi et Michael. Qu'est-ce qui se passe entre vous deux? Je ne savais même pas que tu jouais au badminton. Comment crois-tu qu'on se sent quand on apprend devant quelqu'un d'autre que notre fille a gagné un tournoi de badminton? Je vais te dire comment je me suis sentie : je me suis sentie comme une mauvaise mère.

— Tu n'es pas une mauvaise mère.

— C'est pourtant comme ça que je me suis sentie.

— Je suis désolée.

Ma mère arrête de couper mes cheveux et soupire, les yeux rivés sur moi dans le miroir.

— Qu'est-ce qui nous est arrivé? demande-t-elle. Avant, on se racontait tout.

Je hausse les épaules. Je ne sais pas ce qui nous est arrivé. Parfois en cours de route, certaines choses deviennent trop difficiles à dire tout haut. C'est plus facile de ne rien dire du tout.

Ma mère repousse une mèche de cheveux humides derrière mon oreille.

— Je veux que l'on puisse se raconter plein de choses à nouveau. Pas toi?

Encore une fois, je lève les épaules. Je suis sur le point de dire « peut-être », mais l'expression sur le visage de ma mère est tellement déchirante que je change d'avis.

— Oui, je le veux, dis-je d'un ton aussi ferme que possible.

Elle sourit et passe ses doigts dans mes boucles.

— Bien. Je me sens mieux. Et toi?

— Oui, dis-je pour lui faire plaisir.

Ados

— Qu'est-ce que c'est que ce bruit? demande ma mère en jetant un coup d'œil par l'une des fenêtres du salon.

Des rires sonores et désagréables nous parviennent à travers la moustiquaire et viennent troubler la tranquillité du Bazar Coiffure. L'ambiance, c'est tout pour ma mère. Elle fronce légèrement les sourcils et monte le volume de la radio d'un cran.

Dolly, l'une des clientes les plus âgées et les plus fidèles de ma mère, lance avec mépris en roulant les yeux :

— Les ados!

Je me racle la gorge. Je ne suis peut-être pas bruyante et désagréable, mais théoriquement je suis une ado, et je me sens visée par ce roulement d'yeux.

— Navrée, Clarissa, dit Dolly. Je ne peux pas t'imaginer menant un tel chahut.

— C'est parce que je ne ferais jamais ça, dis-je.

— Ça, c'est bien ma fille. Elle n'a que 13 ans, mais elle a la maturité d'un adulte de 65 ans, dit ma mère.

Elle m'adresse un sourire, et j'en fais autant. Depuis ma coupe de cheveux improvisée, nous sommes très polies l'une envers l'autre.

Dolly agite un doigt réprobateur devant ma mère.

— Il n'y a rien de mal à avoir 65 ans.

— Oh, Dolly, on vous en donnerait à peine 50, dit ma mère, et elles éclatent de rire toutes les deux.

De nouveau, ma mère se tourne vers la fenêtre.

— Je me trompe peut-être, mais on dirait que ça vient de chez Benji.

— Non, pas Benjamin, proteste Dolly. C'est un si gentil garçon. Puisqu'on parle de garçons, il paraît que tu as un prétendant, Annie.

— Pas moyen de garder un secret dans cette ville, dit ma mère en souriant d'un air espiègle.

— Je vais voir d'où vient ce bruit, dis-je avant qu'elle se mette à raconter son histoire d'amour.

Mais ni ma mère ni Dolly n'interrompent leur conversation. D'un bond, je me lève de mon fauteuil sous le sèche-cheveux où je feuilletais un vieux magazine en cherchant des annonces d'alcool pour mon travail sur la publicité, bien qu'il me reste encore deux semaines pour faire ce travail. Mais sans Benji pour me tenir compagnie, ma productivité des travaux scolaires est étrangement à la hausse.

Une fois en haut, je m'arrête dans le salon et écarte le rideau de la fenêtre en saillie. Effectivement, Benji et ses amis du théâtre sont affalés sur le porche d'en avant et bavardent. Une fille dont la longue tresse épaisse atteint presque sa taille est assise en tailleur sur le gazon, et de temps à autre elle étire un bras au-dessus de sa tête. Une danseuse, de toute évidence. Une blonde portant des lunettes noires n'arrête pas de se faire différentes queues de cheval qu'elle défait aussitôt en laissant retomber ses cheveux, un peu comme si elle avait un tic. À moins que ce soit le garçon à qui elle parle qui la rend nerveuse. Ce dernier semble passer beaucoup de temps au gym, mais il est malheureusement doté de cheveux qui friseraient probablement s'ils étaient juste un peu plus longs. Résultat, ils se dressent sur sa tête pour former une masse désordonnée et crépue, comme une laine d'acier. Tous les trois semblent être des élèves de deuxième cycle, mais je ne les ai jamais vus à Ferndale.

Benji est assis à côté de Charity, la déesse aux cheveux fauves de sirène et au CV professionnel. Les trois autres s'efforcent d'engager la conversation avec eux. Je les entends de mon poste secret à la fenêtre. Ils crient à qui mieux mieux.

— Moi non plus, je n'aime pas la nouvelle chorégraphe, dit la danseuse en ramenant ses pieds vers elle et en les déposant sur ses cuisses.

Elle est incroyablement flexible.

— Elle veut trop. Après tout, c'est du théâtre communautaire; la moitié de la troupe n'a jamais suivi de cours de danse. Les Munchkins ont mis une demi-heure à apprendre le carré jazz, quatre mouvements très simples, alors comment peut-elle s'attendre à ce qu'ils maîtrisent de vrais pas de ballet-jazz?

La fille aux lunettes ricane et fait une imitation de quelqu'un, un Munchkin je suppose, agitant les bras et dégringolant les marches du porche. Le groupe s'esclaffe. Tous se tiennent le ventre ou tapent sur le porche en s'essuyant les yeux. Je n'ai jamais vu des gens rire autant de toute ma vie. Ça n'a pas l'air réel, comme s'ils étaient constamment en train de jouer la comédie. Je suis épuisée rien qu'à les regarder. Benji entoure ses jambes fléchies de ses bras et rigole comme un fou, le visage enfoui dans ses genoux.

Je me sens mal à l'aise de les écouter; c'est comme si je les espionnais. Je devrais aller les saluer, mais je ne peux m'empêcher de penser que Benji n'a peut-être pas envie de me voir là. S'il voulait que j'y sois, ne m'aurait-il pas invitée chez lui en revenant de la répétition? Non. Je suis ridicule. Je ne vais tout de même pas rester assise là toute la journée, cachée derrière ce rideau. Benji est mon meilleur ami, je vais simplement aller le saluer.

Je sors par la porte de derrière. Benji regarde dans ma direction lorsque la porte à moustiquaire claque derrière moi. Son visage s'éclaire et les nœuds dans mon estomac se dénouent.

— Clarissa! s'exclame-t-il.

Il paraît sincèrement heureux de me voir.

— Salut, dis-je d'un ton désinvolte dans l'espoir de dissimuler ma nervosité, priant pour que personne ne m'ait vue me cacher derrière les rideaux.

Les amis de Benji me sourient et se bousculent presque pour venir me serrer la main et se présenter. La fille aux lunettes s'appelle Mika, la danseuse, Katie et le garçon, Beckett.

— Beckett? dis-je.

Le garçon hausse les épaules.

— Oui, je sais, c'est bizarre. Ma mère m'a donné le nom de cet auteur dramatique dont personne n'a jamais entendu parler.

— Excuse-moi, intervient Mika, mais Samuel Beckett est un dramaturge révolutionnaire. Ce n'est pas un auteur obscur comme Wycherly ou Albee.

Charity et Katie rient. Beckett lève les yeux au ciel.

— Tu imagines si ta mère t'avait appelé Albee? s'exclame Katie.

— O.K., mais personne, sauf les élèves en art dramatique passionnés comme vous, n'a jamais entendu parler de lui, corrige Beckett.

— La mère de Beckett enseigne l'art dramatique au deuxième cycle, souligne Charity. Elle dirige également toutes les grandes productions de la troupe de théâtre communautaire du Réverbère.

Je suppose que ça explique le prénom inusité.

— Pas toutes, dit Beckett.

— Toutes les bonnes, précise Mika. On est extrêmement chanceux de l'avoir.

Je me demande qui Mika aime le plus : Beckett, ou sa directrice de mère.

— Es-tu actrice, toi aussi? me demande Katie.

— On pourrait dire ça.

— Comment se fait-il que tu n'aies pas auditionné pour le *Magicien*? demande Mika en enlevant de nouveau l'élastique qui retient ses cheveux.

— J'ai auditionné.

Un silence gêné s'abat sur le groupe.

— Les comédies musicales, ce n'est pas mon fort, dis-je aussitôt. Je ne suis pas vraiment une chanteuse.

— Ne t'en fais pas, Clarissa, dit Charity. Les acteurs sont des habitués du rejet.

Soudain, ils me parlent tous en même temps, énumérant les spectacles pour lesquels ils n'ont pas été choisis, et toutes les horribles auditions qu'ils ont passées. Ils rivalisent pour savoir qui a passé la plus terrible audition ou essuyé le plus de refus. Au lieu de me réconforter, ils me dépriment davantage. Comment mon unique et misérable expérience de refus peut-elle se comparer à leurs interminables récits d'horreur? Voilà une chose de plus que je ne partage pas avec eux.

Tout à coup, Mika change de sujet.

— Oh mon Dieu, lance-t-elle d'une voix perçante, avez-vous vu ce que portait Simplet aujourd'hui?

— Simplet? dis-je.

— Le RP, dit Charity comme si c'était censé m'éclairer.

— Le régisseur de plateau, précise Benji.

— Oui, oui, navrée, dit Charity. Il m'arrive d'oublier que les gens ne savent pas ce que ça veut dire.

À mon avis, elle ne semble pas si navrée que ça.

— On l'appelle Simplet parce qu'il a les oreilles décollées, comme Simplet dans *Blanche-Neige et les sept nains*. Tu sais, le film de Disney?

Elle a dû remarquer l'expression sur mon visage, car elle s'empresse d'ajouter :

— Bien sûr, ce n'est que le surnom qu'on lui a donné, mais il ne le sait pas. On n'est pas si méchants.

— Donc, dit Mika, s'adressant directement à moi, Simplet est le roi de l'audiovisuel à l'école, et il est follement amoureux de Charity.

— Ce n'est pas vrai, proteste celle-ci, mais tout le groupe approuve Mika en criant.

— Il a l'air d'un petit chien triste qui se languit d'amour, dit Katie.

— Oui, un petit chien qui a été piqué par trois fléchettes tranquillisantes de Cupidon, renchérit Beckett.

— JE DISAIS DONC, aujourd'hui il est arrivé vêtu de son t-shirt Les Mis qui date, quoi, d'il y a quatre ans. N'est-ce pas pathétique? Je ne sais même pas où est le mien.

Lorsqu'il devient évident que personne ne va m'expliquer ce qu'est un t-shirt Les Mis, et ce qu'il y a de si drôle là-dedans, je me lève pour partir.

— Où vas-tu? demande Benji.

— J'ai des trucs à faire.

— Quel genre de trucs? demande Charity.

Je lève les épaules.

— Oh, des devoirs, des tâches ménagères, ce genre de trucs.

Benji fronce les sourcils, et je me détourne pour éviter son regard. Il sait qu'habituellement, je ne fais jamais de tâches ni de devoirs la fin de semaine.

Charity tapote la marche à côté d'elle.

— Ça ne peut pas attendre? On aimerait bien te connaître. Le Benj parle tout le temps de toi.

Le Benj? Quelle sorte de surnom est-ce donc? N'empêche que ça me fait un petit velours. Si Benji parle de moi à ces amis exubérants, drôles et intéressants, c'est qu'il ne m'a pas complètement oubliée. Mais même si je suis tentée, je ne me sens pas à l'aise de rester et de passer du temps avec eux. Je ne connais pas leur entourage et je ne comprends pas les blagues qu'ils font entre eux. Je ne suis pas des leurs. Pour eux, je ne suis qu'une autre spectatrice.

— Peut-être une autre fois. Je suis ravie d'avoir fait votre connaissance.

Une fois chez moi, je descends dans le sous-sol et j'allume la télé, réglant le volume aussi haut que possible, c'est-à-dire jusqu'à la limite tolérable par ma mère. Comme ça, je n'entendrai pas les rires qui me parviennent de chez Benji.

Amis?

Les nouveaux amis de Benji lui font découvrir les trames sonores de toutes sortes de comédies musicales dont je n'ai jamais entendu parler. Il les fait jouer pour moi quand je vais chez lui.

— Écoute cette chanson. Fantastique, non?

Après avoir écouté *Rent*, *L'Éveil du printemps* et *Les Misérables* du début à la fin, je crois pouvoir affirmer sans me tromper que, bien que j'adore jouer, le théâtre musical n'est pas pour moi. *Hairspray* était très amusant, par contre.

Il y a tellement de choses qui se passent dans ma vie et dont Benji n'est pas au courant. Je ne me souviens pas que ce soit déjà arrivé. Avant, on était toujours ensemble, maintenant, je dois lui raconter des conversations qu'il a manquées, ou l'écouter décrire des gens que je n'ai jamais rencontrés. Ça me rappelle ce que ma mère a dit : au deuxième cycle du secondaire, tout change. Je sens déjà que ça commence. Mais qu'est-ce que je fais si je ne veux pas que les choses changent?

— Tu devrais venir à l'une de nos FARS, dit Benji.

— Qu'est-ce que c'est?

— Ça veut dire fiestas d'après répétition du samedi. Je t'en ai parlé la semaine dernière. C'est quand on se rassemble après la répétition.

— Et qu'est-ce que vous faites?

— Toutes sortes de choses. Parfois, on va manger au restaurant, ou bien on va chez l'un de nous regarder des films et faire de l'impro.

— Je ne sais pas trop. Ça semble s'adresser aux membres de la troupe.

— Pas du tout! Tout le monde invite des amis. La semaine dernière, on a joué aux charades musicales. Charity et moi on a gagné. Tu pourrais faire partie de notre équipe.

— Non, merci. Je préfère encore regarder des films avec Denise.

J'avoue que c'était un coup bas. C'est le genre de commentaire que je réserve généralement aux gens qui me tombent sur les nerfs, et Benji le sait; seulement, il n'en avait encore jamais fait les frais.

Dans le temps, avant qu'il devienne acteur et qu'il rencontre ses amis du théâtre, Benji aurait froncé les sourcils, je me serais excusée tout de suite, il aurait passé l'éponge et on n'en aurait plus reparlé. Mais ce Benji, ou devrais-je dire, le Benj, me regarde droit dans les yeux et dit :

— D'accord. Mais un de ces jours, je vais simplement arrêter de t'inviter.

Eh bien, tant mieux. Ça me convient parfaitement. De toute façon, qui a envie de fréquenter une bande d'acteurs en mal de public?

* * *

Mattie ne m'est d'aucun secours en ce qui concerne mon problème avec Benji. La seule fois où je m'ouvre un peu et lui confie qu'il me manque, elle saute immédiatement aux conclusions.

— Ne te fâche pas, mais es-tu certaine que tu n'es pas jalouse parce qu'en ton for intérieur, tu as des sentiments pour Benji?

— Non! Pourquoi est-ce que tout le monde me pose tout

le temps cette question? Je ne suis pas amoureuse de Benji, c'est mon meilleur ami! Une fille ne peut donc pas être amie avec un garçon sans qu'il soit question d'amour?

— O.K., O.K., je voulais juste savoir!

Si je récoltais un dollar chaque fois qu'on me demande si Benji est mon petit ami, je serais millionnaire à l'heure qu'il est. Bien sûr que j'aime Benji, mais je l'aime comme on aime son meilleur ami ou son frère. Je sauterais devant un autobus pour lui, mais ça ne veut pas dire que je suis amoureuse de lui. Je ne m'imagine pas en train de l'embrasser et je ne me demande pas ce que ça me ferait s'il passait son bras autour de mes épaules.

Ce que je ressens pour Michael est complètement différent. Avec Michael, ce sont les frissons, l'excitation, la curiosité, alors que je connais tellement Benji qu'il fait partie de moi, comme une de mes jambes ou mon nez. Mes sentiments pour Benji sont plus profonds que ceux que j'éprouve pour Michael. Sans Benji, je ne me sentirais pas tout à fait moi-même. Peut-être que ça devrait être le contraire; est-ce que je ne devrais pas être amoureuse de la personne qui compte le plus pour moi? Je ne comprends rien à l'amour. Peut-être que personne n'y comprend rien non plus. Peut-être que c'est la raison pour laquelle il y a tant de chansons et de livres qui lui sont consacrés. Ça me rassure un peu de savoir que je ne suis pas seule, et que le monde entier essaie d'y comprendre quelque chose.

Arcade

Depuis que Mattie et moi avons réglé notre différend à propos de Josh, j'ai maintenant quelqu'un avec qui discuter de ma situation avec Michael. Benji connaît l'essentiel de l'histoire, mais je ne lui ai pas tout dit. Ça fait bizarre de parler d'un garçon à un autre garçon, même si l'un d'eux est Benji, que je considère comme un ami d'abord, et un garçon ensuite. Comme maintenant il y a tout un pan de la vie de Benji qui est devenu secret pour moi depuis qu'il joue dans cette fichue pièce, je ne lui ai pas parlé du fameux « Tu me plais » de Michael; ainsi, nous avons chacun un secret.

— Tout le problème réside dans le fait qu'il t'a dit « Tu me plais », c'est ça? demande Mattie.

— Oui, dis-je, rougissant à ce souvenir. C'est exactement ce qu'il a dit.

— Et qu'as-tu répondu?

— J'ai dit : « C'est bien ».

Mattie soupire.

— *C'est bien?* Pauvre Michael. Il n'y comprend probablement rien.

La clochette retentit, et nous nous retournons toutes les deux pour voir qui vient d'entrer dans l'arcade. Normalement, je ne mettrais jamais les pieds dans une arcade, mais il paraît que le nouveau béguin de Mattie, Declan James, est un véritable mordu des arcades et des jeux vidéo. Voilà qui suffirait à me rebuter, mais ça ne semble pas ennuyer

Mattie. Donc, nous y voilà. Heureusement, on trouve un choix intéressant de bonbons à l'arcade.

Lorsque je souligne que le fait d'être bon aux jeux vidéo n'est pas vraiment considéré comme une habileté, Mattie rétorque :

— La coordination œil-main est importante. Peut-être qu'il deviendra chirurgien.

J'en doute. Je crois qu'il faut être bon à l'école pour devenir médecin, et le seul atout que possède Declan, apparemment, c'est d'arriver en deux heures à finir toutes les étapes d'un jeu vidéo dont je n'ai jamais entendu parler. Ça, et le fait qu'il soit plutôt beau. Sinon, il est aussi nul que Josh, sauf qu'il a une plus belle peau.

Un client se dirige vers le jeu *Dance Dance Revolution* et met une poignée de monnaie dans la machine. Ce n'est certainement pas Declan qui ferait ça.

— Mattie, qu'est-ce que c'est toute cette histoire avec Declan?

— Il est beau. Tu ne trouves pas qu'il est beau?

— Oui, mais lui as-tu déjà parlé? T'a-t-il déjà dit une parole gentille?

— Non, mais ça ne veut rien dire. Je le vois rarement avec des filles. Peut-être qu'il est timide.

— Ou peut-être qu'il n'en vaut pas la peine.

Mattie ne dit rien.

— Je pense simplement que tu es trop bien pour lui.

Mattie s'anime un peu.

— Tu dis ça seulement parce que tu es mon amie, et que c'est ton rôle de dire ce genre de choses.

— Non, c'est la vérité. Tu étais trop bien pour Josh, et tu es trop bien pour Declan aussi.

— On ne peut pas *toutes* avoir ta chance et prendre

Michael Greenblat dans nos filets, plaisante Mattie.

J'agrippe la manche de son blouson et jette un coup d'œil paniqué autour de nous dans l'arcade.

— Chut, baisse le ton, quelqu'un pourrait t'entendre!

Mattie rit.

— Tu refuses de l'admettre. Michael est amoureux de toi.

— Il ne l'est pas.

Mattie roule les yeux.

— Il l'est.

— Qu'est-ce que ça veut dire de toute façon, amoureux? dis-je en grognant.

— Bon, très bien. Mais je suis certaine que tu lui plais, et pas seulement comme amie. À toi de décider ce que tu veux faire maintenant. Est-ce qu'il te plaît aussi?

— Oui.

C'est la première fois que j'avoue, à moi-même, à Mattie, et à toute autre personne à portée de voix, que Michael Greenblat me plaît. Et pas seulement comme ami. Ce n'est pas si mal. Il n'y a aucune fanfare, aucune lumière clignotante. Je me sens soulagée, un peu libérée, même.

— Aimerais-tu passer du temps avec lui? demande Mattie.

— En tête à tête?

— Oui, en tête à tête.

— Je crois, oui, dis-je, même si je suis prise d'une légère panique à l'idée de me retrouver seule avec lui.

Qu'est-ce qu'on ferait? Regarder un film? À quelle distance l'un de l'autre devrait-on s'asseoir sur le canapé? Faudrait-il se tenir la main? S'embrasser?

— La Terre appelle Clarissa, dit Mattie. Qu'est-ce que tu as? On dirait que tu vas être malade.

— Je vais bien. Seulement, je ne sais pas trop ce que je devrais faire.

— Tu lui dois au moins un coup de fil.

— Pourquoi?

— Clarissa, il t'a dit que tu lui plaisais, ce à quoi tu as répondu : « C'est bien. » Puis quand il a clairement manifesté l'envie de t'embrasser, tu t'es enfuie dans la maison.

— Je ne me suis pas enfuie.

— C'est tout comme.

— Ah! Pourquoi est-ce aussi difficile?

J'appuie mon front contre mes mains tandis que les pires scénarios me traversent l'esprit.

Mattie me tape doucement l'épaule.

— C'est difficile d'aimer, déclare-t-elle d'un ton rêveur. Non pas que je parle par expérience. Jusqu'à ce que Declan se rende compte que je suis la fille parfaite pour lui, je vais devoir vivre par procuration à travers toi.

À mon tour de lever les yeux au ciel.

— Si tu comptes sur Declan, tu pourrais attendre longtemps.

Mattie fait la moue et croise les bras.

— J'en ai assez d'attendre après toi, l'amour. Dépêche-toi de te montrer!

— Tout vient à point à qui sait attendre, dis-je avec un grand sourire.

— Oh, je t'en prie! Je ne connais personne de plus impatient que toi! dit Mattie en riant.

— Tu veux changer de place avec moi?

— Je n'hésiterais pas une seconde.

— Dans ce cas, tu veux bien appeler Michael pour moi? Mattie rigole.

— Espèce de gros bébé! Appelle-le et qu'on en finisse.

Appel

Même après ma conversation avec Mattie, je mets un certain temps avant de rassembler mon courage pour appeler Michael. Je me répète que c'est lui qui a dit « Tu me plais » et que je n'ai rien à perdre. Une semaine s'est déjà écoulée depuis notre sortie chez Pizza Hut, et c'est à peine si je lui ai adressé la parole. Si c'était moi qui avais dit « Tu me plais » à quelqu'un et que cette personne ne m'avait même pas rappelée, je serais dans tous mes états. Mais peut-être qu'il n'y a que les filles qui sont comme ça. Rassurée à cette pensée, et consciente que ma mère applique une permanente et qu'elle ne pourra pas venir m'interrompre, je prends le téléphone et compose le numéro de Michael. Je compte six sonneries avant qu'un homme décroche. Son père?

— Allô?

— Euh, oui, allô. Est-ce que je peux parler à Michael s'il vous plaît?

— De la part de qui?

— Clarissa.

— Une minute, Clarissa. MICHAEL! IL Y A UNE FILLE QUI TE DEMANDE AU TÉLÉPHONE! ELLE S'APPELLE CLARISSA! C'EST TA PETITE AMIIIIE?

Ce n'est sûrement pas son père. Peut-être l'un de ses trois frères?

J'entends des rires, puis quelque chose, probablement le téléphone, tombe avec fracas. Au bout d'un moment atrocement long, Michael est au bout du fil.

— Allô?

— Salut, Michael. C'est Clarissa.

— Oh, salut. Ça va?

— Bien, et toi?

— Ça va.

Je constate que je n'ai rien prévu au-delà des salutations. Qu'est-ce que je suis censée dire maintenant? Je ne peux quand même pas me lancer dans des propos romantiques. Il faut que j'enchaîne, et vite.

— Quoi de neuf?

— Les épreuves de sélection au baseball commencent bientôt, alors je suis un peu nerveux, mais sinon ça va.

— Au baseball?

Sapristi, y a-t-il un seul sport que Michael ne pratique pas?

— Ouais. Je songe à participer aux épreuves avec une équipe un peu plus forte. Il y aura plus de candidats, dont certains seront sûrement bien meilleurs que moi.

— Tu n'en sais rien. Je suis sûre que tu es aussi doué que ces autres gars.

Je suis contente qu'on se parle au téléphone, et que Michael ne me voie pas rougir.

— Si je suis choisi par l'équipe, tu pourrais venir voir un match.

— Bien sûr, dis-je en me demandant s'il pourrait s'agir de notre deuxième sortie d'amoureux.

Il y a une pause dans la conversation. L'année dernière, M. Campbell nous a enseigné que toutes les dix minutes, une pause se fait naturellement dans chaque conversation. Ça fait à peine cinq minutes qu'on parle, Michael et moi. Je me demande si c'est mauvais signe. Je prends une grande respiration avant de continuer.

— Donc, à propos de Pizza Hut…

— Oui?

— Je suis désolée qu'on ait dû partager une table avec ma mère.

— Ça ne fait rien. C'était plutôt agréable. Mais peut-être qu'on pourrait remettra ça juste tous les deux.

Mon cœur bat si fort que j'éloigne un peu le téléphone de peur que Michael l'entende.

— Oui, c'est un peu pour ça que j'appelais.

— Ah oui?

— Oui. Pour dire que si tu veux qu'on se voie pour dîner, souper, ou n'importe quand, ce serait bien.

À l'instant où je prononce le mot, je voudrais disparaître à 100 pieds sous terre. Bien? Ce serait *bien*? Je ne peux pas croire que j'ai encore dit ça. Michael doit penser que je suis une andouille au vocabulaire limité.

Je voudrais continuer, mais je suis interrompue par un bip.

— Michael, il y a un appel sur l'autre ligne. Ça t'ennuie si je réponds? C'est peut-être quelqu'un qui veut prendre rendez-vous au salon.

— Pas de problème. Je vais attendre.

— Super, merci.

J'appuie sur le bouton d'appel en attente et prends le deuxième appel.

— Allô?

— Clarissa, c'est Benji.

J'ignore pourquoi, mais je me sens aussitôt coupable, comme si j'avais été prise en flagrant délit.

— Salut, Benji. Quoi de neuf?

— Es-tu occupée?

Ne sachant trop quoi répondre à ça, j'esquive la question.

— Pourquoi?

— Charity était censée venir chez moi pour m'aider à répéter ma chanson, mais elle a une audition. Il semble que le régisseur de distribution l'ait invitée expressément, dit Benji.

Je peux presque entendre la fierté dans sa voix.

— J'ai réellement besoin d'une seconde opinion. Peux-tu venir?

Je n'aime pas beaucoup qu'il donne tant d'importance à Charity, mais je me mords la langue. Je songe à Michael, qui m'attend patiemment sur l'autre ligne. Je ne veux pas le laisser tomber, mais on n'avait pas fait de plans pour ce soir après tout. J'ai dit à Mattie que je l'appellerais, et c'est ce que j'ai fait. Benji est tellement occupé ces temps-ci que je dois saisir la moindre occasion de le voir. De plus, il a besoin de mon aide. Je suis certaine que Michael va comprendre.

— Je reviens dans une seconde, dis-je à Benji.

Je le mets en attente et reprends l'autre ligne.

— Allô, Michael?

— Hé! C'était une cliente?

— Non, c'était Benji. Il faut que j'y aille. Il a besoin de moi.

— Oh, dit Michael d'une voix morne.

Je m'empresse de lui expliquer.

— C'est pour sa pièce, *Le Magicien d'Oz*. Il joue le rôle du Lion poltron, tu te souviens?

— Oui, je me souviens. C'est quand déjà? Je veux vraiment voir ça.

— Dans quelques semaines.

— On pourrait y aller ensemble, propose Michael.

Je songe à toutes les personnes qui seront là : ma mère,

Denise, Mattie. C'est inévitable : si Michael m'accompagne, il faudra que je le présente à tout le monde, et alors nous serons officiellement ensemble. Tout le monde saura à propos de « nous », peu importe ce que ce « nous » signifie.

— Oui, bien sûr.

— Eh bien, tu ferais mieux d'aller aider Benji maintenant. Je suis très content de t'avoir parlé, Clarissa.

— Moi aussi. À bientôt, Michael.

— À bientôt.

— Allô, Benji?

— Oui?

— J'arrive.

Anxieux

Ma conversation téléphonique avec Michael me laisse grisée et vaguement étourdie, comme si mon corps tout entier était constitué de racinette, de soda au gingembre ou d'une autre boisson pétillante. Je marche un peu pour me calmer avant de me rendre chez Benji. Mais lorsque j'arrive et que je constate à quel point il est anxieux, mon humeur perd tout son pétillant.

Benji est en bas dans le séjour, assis sur le bord du gros canapé en cuir et tapant frénétiquement du pied sur le plancher. Tendu comme un ressort, il se lève d'un bond en me voyant entrer.

— Merci d'être venue. Tu es mon dernier espoir.

Dernier espoir? Là, mon humeur est à plat. Je sais que je ne suis pas une actrice professionnelle comme Charity, mais je pense que j'ai quelque chose d'utile à offrir.

— Qu'est-ce qu'il y a?

— C'est ma chanson, avoue Benji, l'air complètement défait. Je connais toutes les paroles, mais le metteur en scène dit que je ne sens pas la chanson.

Je ne sais pas exactement ce que ça veut dire, mais je n'aime pas voir Benji aussi désemparé. Je ne peux m'empêcher de détester Charity un peu plus, sachant qu'elle devait être ici et qu'elle l'a laissé tomber. Elle est peut-être une meilleure actrice que moi, par contre elle n'est pas une meilleure amie que moi.

— Reprends-la depuis le début, dis-je.

Benji respire à fond et se met à chanter. Je l'ai déjà entendu chanter, bien sûr, mais je n'y ai jamais vraiment prêté attention. Maintenant qu'il fait partie d'une troupe triée sur le volet pour jouer dans une comédie musicale, je l'écoute d'une oreille plus attentive. Il a une jolie voix, plutôt calme, peut-être un peu aiguë pour un garçon, mais claire et naturelle.

Quand il a terminé, Benji fourre ses mains dans ses poches et me regarde avec ses grands yeux.

— Alors? Qu'en penses-tu?

— Honnêtement?

— Bien sûr, honnêtement, répond Benji, l'air nerveux.

— Tu chantes très bien, mais ça ne fait pas très Lion poltron, si tu vois ce que je veux dire.

— O.K...

— Tu chantes ta chanson comme Benji, ou comme quelqu'un à la radio, pas comme un lion qui raconte son rêve.

Benji réfléchit pendant une seconde.

— Donc, tu crois qu'on ne sent pas assez mon personnage quand je chante?

— Oui!

Benji hoche la tête pensivement, comme s'il s'attendait à ce commentaire suite à sa prestation.

— Charity dit qu'on doit aborder nos chansons avant tout comme un acteur, et ensuite comme un chanteur.

Ça m'ennuie de constater que même si elle n'est pas là, même si c'est *elle* qui l'a laissé tomber, Benji continue de citer Charity comme si elle était l'autorité suprême.

— Bon, alors de quelle manière comptes-tu aborder cette chanson?

Benji réfléchit pendant une seconde.

— Fièrement? Comme un roi?

— Tiens, dis-je en lui couvrant les épaules d'un vieux jeté qui se trouvait sur le canapé. Ce sera ta cape.

Benji ramène les bords du jeté autour de son cou et se redresse légèrement.

— C'est ça! Maintenant, essaie de nouveau.

Cette fois, Benji chante en levant le menton et en faisant toutes sortes de grands gestes.

— Oui! C'est ça! dis-je en l'applaudissant avec frénésie une fois qu'il a terminé.

— Clarissa, tu es vraiment douée pour ce genre de choses, dit Benji.

— Oh, arrête, dis-je, même si ça me fait chaud au cœur.

— Non, vraiment. Tu pourrais être metteure en scène!

Metteure en scène! Ça ne m'a jamais effleuré l'esprit. Mais réflexion faite, ça pourrait être amusant : mener la barque, distribuer les rôles.

— Tu pourrais travailler comme régisseuse, aussi. Charity dit qu'ils sont toujours à la recherche de personnes pour donner un coup de main à la troupe de théâtre communautaire du Réverbère.

Encore ce nom. Chaque fois que je l'entends, il me fait l'effet d'une piqûre de moustique qui démange.

— Elle semble tout savoir, cette Charity, dis-je avec brusquerie.

— Qu'est-ce que tu veux dire?

— Je veux dire qu'en ce qui te concerne, elle semble être imbattable.

— Eh bien, on peut dire qu'elle l'est quand il est question de jouer. C'est…

— … une professionnelle, je sais, tu me l'as dit!

— Es-tu fâchée contre moi? demande Benji, surpris par

mon ton cassant.

— Tu ne parles que de Charity! Tu es amoureux d'elle ou quoi? Elle n'est pas ici en ce moment, n'est-ce pas? Moi, oui. Allume, Benji : elle est au deuxième cycle, c'est une grande vedette. Jamais elle ne te considérera autrement que comme un gamin.

Benji est si profondément choqué qu'il en reste bouche bée, et sa cape de fortune glisse sur le plancher. Il n'a plus rien d'un lion, mais tout de quelqu'un qui vient d'être démoli par sa meilleure amie. J'aimerais tant pouvoir retirer ces paroles haineuses. Je sais qu'il n'est pas amoureux d'elle. Je ne comprends pas ce qui m'a poussée à dire des choses pareilles. Je suis si embarrassée que j'en ai mal au cœur.

— C'est mon amie, finit par dire Benji.

Sa lèvre inférieure tremble.

— Je sais. Excuse-moi, dis-je entre mes dents.

Mais Benji ne me laissera pas m'en tirer aussi facilement.

— Tu as d'autres amis, poursuit-il. Tu passes beaucoup de temps avec Mattie sans moi, et je ne t'en veux pas pour ça.

— Mais c'est ton amie aussi. Et tu te joindrais à nous si tu n'étais pas tout le temps en train de répéter.

— Je croyais que tu étais contente pour moi.

— Je le suis.

— Ça ne paraît pas toujours.

— Je sais. Je suis…

Jalouse? Furieuse? Triste? Je ne peux rien lui dire de tout ça sans avoir l'air d'un gros bébé…

— Tu me manques. Ce n'est pas juste. Charity t'a pour elle toute seule.

— On est ensemble en ce moment, non?

— Oui, et regarde ce qu'on fait. On se dispute!

— Tu pourrais venir avec nous, tu sais. Je t'ai invitée à m'accompagner aux FARS, mais tu les as tournées en ridicule.

— Je sais. Je suis désolée. Mais je déteste entendre parler du plaisir que vous avez ensemble. Moi aussi, je voulais faire partie de ce spectacle, tu te rappelles?

— Je sais, dit Benji. Ne m'en veux pas de te dire ça, mais ce n'est pas ma faute si tu n'as pas été choisie. Je voulais que tu sois choisie, moi aussi. Si tu n'avais pas été là, je ne jouerais même pas dans la pièce. Jamais je n'aurais auditionné si tu ne m'y avais pas forcé.

Même si ça fait du bien de l'entendre dire que c'est grâce à moi qu'il joue dans la pièce, ça ne me réconforte pas pour autant quant à l'ensemble de la situation.

— J'aime beaucoup, beaucoup jouer, Clarissa, mais je n'ose pas t'en parler parce que j'ai peur que tu te fâches contre moi.

Toute l'horrible vérité repose maintenant entre nous deux. Un malaise gros comme un éléphant envahit la pièce; un éléphant avec un œil qui louche, une défense noueuse et des pattes couvertes de croûtes suintantes. Nous restons assis en silence, moi tressant les franges du jeté et Benji griffonnant distraitement sur les semelles de ses chaussures de sport.

Au bout d'une minute, Benji se racle la gorge.

— Ça te va si on continue à répéter? Je crois que tes suggestions m'aident énormément.

Je vois qu'il me tend une perche.

— Bien sûr! Cette fois, je veux que tu portes ceci.

J'enlève mon bandeau et le place sur la tête de Benji, comme une couronne.

— Ça ressemble plus à un diadème qu'à une couronne,

mais ça donne une idée. Vas-y, refais ta chanson.

Benji s'exécute, chantant à tue-tête. C'est sa meilleure prestation jusqu'à maintenant; il y met beaucoup d'expression et marche de long en large comme un lion qui rôde. Il est vraiment très bon. Je comprends pourquoi il a été choisi; c'est un acteur né!

— Qu'est-ce qui se passe ici?

Benji s'interrompt au beau milieu d'une phrase. Le Dentonateur se tient dans l'embrasure de la porte, le guide télé dans une main et une canette de bière dans l'autre.

— Rien, répondons-nous machinalement, Benji et moi.

— J'ai pourtant entendu quelque chose, dit le Dentonateur.

— Eh bien, ce n'était pas exactement rien… dit Benji d'un ton hésitant.

— On répète, dis-je.

Le Dentonateur se gratte le sourcil droit avec son petit doigt.

— Vous répétez?

Je roule les yeux.

— Vous savez, pour la pièce?

Sapristi, ce qu'il peut être bête!

— C'est pour *Le Magicien d'Oz*, précise Benji. Tu te souviens? Je joue le rôle du Lion poltron?

— Ouais, je me souviens maintenant. Je ne savais pas qu'il y avait du chant dans cette pièce.

— C'est une comédie musicale, dis-je.

Le Dentonateur plisse les yeux et désigne Benji d'un coup de menton.

— C'est quoi ce truc sur ta tête?

Benji touche le bandeau, et celui-ci glisse sur l'un de ses sourcils, comme une auréole tombée.

— C'est censé être une couronne, explique-t-il. Parce que je suis le roi de la forêt, tu comprends?

Le silence qui suit est insoutenable. Benji ne sait plus où se mettre tandis que son père prend une grande lampée de bière, sans jamais quitter des yeux le bandeau que Benji tient maintenant dans son poing fermé.

— Est-ce qu'il y a beaucoup de gars dans cette pièce? demande-t-il enfin.

— Quelques-uns, répond Benji.

— Combien, à peu près?

— Je ne sais pas, peut-être quatre ou cinq?

Incrédule, le Dentonateur hausse les sourcils, et ceux-ci disparaissent sous sa casquette de baseball.

— *Peut-être* quatre ou cinq?

— Cinq, confirme Benji.

— C'est peu.

— Oui.

Nous restons tous plantés là, balayant la pièce des yeux pour ne pas avoir à nous regarder, jusqu'à ce que le Dentonateur vide d'un trait le reste de sa bière.

— Bon, je ferais mieux de vous laisser continuer.

— Non, attends! proteste Benji.

Le Dentonateur s'arrête dans l'escalier.

— As-tu vu le bon de commande que je t'ai laissé pour les billets? Sur le frigo?

— J'ai dû le manquer. Pourquoi?

— On doit rapporter nos bons de commande en prévente pour lundi.

— Oh, oui. C'est quand, ton spectacle?

— Dans trois semaines. Je l'ai noté sur le calendrier. Il y a une représentation tous les soirs du mercredi au samedi, et une matinée le dimanche.

— Je travaille de nuit ces temps-ci.

— Je sais, c'est pour ça que je voulais t'en parler maintenant. Pour que tu puisses changer d'horaire avec quelqu'un, dit Benji avec un sourire plein d'espoir.

Le Dentonateur ne lui rend pas son sourire.

— Ce n'est pas si simple, Ben. On ne peut pas changer un seul quart de travail.

— Je sais. Je me suis dit que si je te prévenais suffisamment à l'avance, tu pourrais demander à travailler de jour cette semaine-là.

Pour la troisième fois en moins d'une demi-heure, un silence gêné envahit la pièce.

— On verra, Ben. Je ne peux rien promettre.

Le Dentonateur tourne les talons et grimpe l'escalier d'un pas lourd. J'attends qu'il ait disparu quelque part dans la maison avant de me tourner vers Benji pour lui proposer de recommencer.

— Je n'ai plus envie de chanter, dit Benji tout net.

— Tu veux qu'on regarde un film?

Il secoue la tête.

— Non. Je suis un peu fatigué. Tu devrais peut-être rentrer.

Je pourrais lui faire remarquer qu'il n'est que 20 heures, mais je rassemble plutôt mes affaires et retourne chez moi. Avant de partir, je jette un regard par-dessus mon épaule.

— Benji, tu chantes vraiment bien. Tu feras un Lion extraordinaire.

Benji sourit, mais ne dit rien. Je sais que c'est mal de détester le père de son meilleur ami, mais parfois je hais tellement le Dentonateur. Il a le don de faire sentir les gens tout petits, et Benji plus que tout autre.

Allée numéro sept

Lorsque je rentre, Doug lit le journal à la table de cuisine, l'air renfrogné. Je lui demande :

— Qu'est-ce qu'il y a? Ton équipe a perdu?

Doug secoue la tête.

— Non. Toutes mes équipes sont solides comme du roc en ce moment. C'est ce mots croisés qui est en train de me rendre fou. Quel mot de huit lettres signifie abdiquer?

Je hausse les épaules. Ce sont des personnes âgées ou des bibliothécaires que j'imagine en train de faire des mots croisés, pas un entraîneur personnel aux allures de géant qui traîne avec lui un chien-vadrouille nommé Suzy.

Je suppose que mon visage en dit long, car Doug me demande :

— Pourquoi as-tu l'air aussi étonnée? Quoi, tu crois que je suis tout en muscles et sans cervelle?

Avant que je puisse protester, il poursuit :

— Je ne te blâme pas. Je connais beaucoup de gars qui passent tellement de temps à développer leurs muscles qu'ils négligent la caboche.

Doug se tapote la tempe.

— Mais je vais te dire une chose : le cerveau est un muscle, lui aussi. Il a autant besoin d'entraînement que nos pectoraux ou nos gluteus maximus. Sais-tu ce que c'est, le gluteus…

— Oui, je sais ce qu'est le gluteus maximus.

Il semble que ce soit le seul nom de muscle scientifique

dont les garçons de ma classe arrivent à se souvenir.

— Bien sûr que tu le sais, tu es une fille intelligente. Bref, faire des mots croisés tous les matins m'aide à garder mon cerveau en forme. À quoi ça sert de garder ça en forme, dit Doug en désignant son corps, si la tête ne l'est pas?

— Où est ma mère?

Doug indique la salle de bains d'un signe de tête.

— Elle se fait une beauté. Comme si elle en avait besoin. Pfft.

Dans la salle de bains, ma mère fredonne en appliquant ce qui semble être une quatrième couche de mascara.

— Qu'est-ce qui se passe?

— Nous sortons, chantonne ma mère.

— Amuse-toi bien, dis-je en marmonnant avant de me diriger vers ma chambre.

Ma mère m'arrête.

— Non, j'ai dit que *nous* sortions. Doug nous paie une sortie.

— Nous?

— Nous, confirme ma mère en glissant son bras autour de mes épaules. C'est chouette, non? On pourra tous passer du temps ensemble et faire un peu plus connaissance.

Chouette n'est pas exactement le mot que j'utiliserais pour qualifier ce scénario.

— Où est-ce qu'on va? dis-je d'un ton méfiant.

— Aux quilles.

— Pardon?

Ma mère me fait un grand sourire.

— Tu sais, les souliers moches, les quilles, la lumière noire?

— Doug nous emmène chez *Shake, Rock'n' Bowl?*

Au même moment, le principal intéressé se fait entendre

dans la cuisine :

— Départ dans cinq minutes!

* * *

Il y a cinq ans, le gérant de nuit d'un club vidéo a gagné à la loterie, et a décidé que la seule chose qu'il voulait vraiment dans la vie, c'était devenir propriétaire d'une salle de quilles. Mais pas d'une salle de quilles ordinaire : une salle de quilles à lumière noire. Il a donc fait construire le *Shake, Rock'n' Bowl*. On y trouve dix allées de jeu, de vrais juke-boxes, des maillots personnalisés que l'on peut commander avec notre nom brodé au fil rouge sur la poche poitrine et, bien sûr, des lumières noires. J'y suis allée une fois pour une fête d'anniversaire, et j'ai trouvé ça franchement ennuyeux. C'est douteux comme choix pour une sortie. Mais il semble que je sois la seule à penser ça. Ma mère et Doug sont carrément aux anges tout le long du trajet.

— Je ne me souviens pas de la dernière fois où je suis allée jouer aux quilles, dit ma mère en gloussant.

Doug se penche vers le siège du passager et lui serre le genou.

— Je vais y aller mollo avec toi, fait-il pour la taquiner.

Il croise mon regard dans le rétroviseur.

— De toute façon, c'est Clarissa que je vais avoir à l'œil. Si elle est aussi douée pour les quilles que pour le badminton, on va avoir des ennuis, toi et moi.

Je lève les yeux au ciel, même s'il n'y a pas la moindre chance que les deux tourtereaux à l'avant le remarquent.

C'est étonnamment animé chez *Shake, Rock'n' Bowl*. Je suppose qu'il n'y a pas grand-chose d'autre à faire en ville un vendredi soir. C'est d'une tristesse! Doug règle avec le gérant pendant que ma mère et moi choisissons nos chaussures.

— Quand on était enfants, on volait des souliers à la salle de quilles, raconte ma mère d'un air nostalgique. Veux-tu les bruns avec des lacets rouges ou les noirs avec des lacets verts?

Je prends une paire de noirs avec des lacets verts en me demandant pourquoi quelqu'un volerait des souliers aussi affreux.

Doug revient, les dents luisantes dans la lumière noire. Son jean et son t-shirt sont foncés, et il ressemble dangereusement au chat du Cheshire avec son sourire fluorescent qui flotte quelque part à l'endroit où doit se trouver son visage.

— Bon, ce sera l'allée numéro sept, mesdames!

Ma mère rit. Doug prend un air faussement horrifié.

— Quoi, est-ce que j'ai quelque chose entre les dents?

Il en remet, enlevant un morceau de nourriture imaginaire entre ses deux incisives. Je ne comprends pas l'engouement pour la lumière noire. L'attrait de la nouveauté s'estompe après quelques minutes. Qu'est-ce que ça peut faire que nos dents luisent et que la mousse paraisse sur nos t-shirts? C'est aussi passablement difficile de voir ce qu'on fait.

Il s'avère que le badminton n'est pas le seul sport de nul dans lequel j'excelle; je suis également une vraie pro aux quilles. À la surprise générale, je remporte la première partie. Doug me présente constamment sa main en disant « tape là-dedans » ou « tope-là ». Combien d'expressions ridicules peut-il y avoir pour demander à quelqu'un de nous taper dans la main?

Les choses ne vont pas aussi bien pour ma mère, qui glisse dans ses affreuses chaussures et lance la boule dans le dalot une fois sur deux. Ça ne semble pas l'ennuyer cependant;

elle rit et nous applaudit, Doug et moi, quand nous faisons tomber les quilles les unes après les autres.

— Comment se fait-il que ma fille soit si bonne aux quilles?

— De toute évidence, elle ne tient pas ça de sa mère, dit Doug en me faisant un clin d'œil. Clarissa, tu veux venir ici et donner quelques conseils à ta mère?

— Inutile, dis-je. C'est un cas désespéré.

Doug éclate de rire et me présente sa main encore une fois pour que je tape dedans. Je m'exécute sans réfléchir.

Ma mère fait mine de bouder.

— Vous vous moquez de moi tous les deux.

— O.K., O.K., on arrête.

Doug attend que le distributeur recrache une boule plus petite. Il s'en empare et marche vers ma mère pour lui donner une leçon particulière. Ma mère glisse ses doigts dans les trous de la boule tandis que Doug se place derrière elle. Il pose sa main sur la sienne et guide son bras pour l'aider à prendre la bonne position. Son autre main repose sur sa taille. Il lui parle directement dans l'oreille, et tous les deux rigolent comme deux adolescents.

Je ne les entends pas de la banquette où je suis assise, et c'est parfait comme ça. Je m'affale sur mon siège et jette quelques regards furtifs autour de moi. Finalement, j'aime bien cette lumière noire. Tous les joueurs semblent très absorbés par leur propre jeu et, Dieu merci, ils ne remarquent pas la scène qui se joue dans l'allée numéro sept.

Enfin, avec l'aide de Doug, ma mère réussit son premier abat.

— Yé!

Doug lui tape dans la main et la serre dans ses bras en

la soulevant de terre comme un gros ours. La corne de brume résonne, donnant aux lumières stroboscopiques le signal de s'allumer; celles-ci se reflètent sur la boule disco suspendue au milieu de l'allée, inondant la salle de parcelles lumineuses. Tout le monde se retourne et sourit tandis que ma mère exécute ce qu'on pourrait appeler sa « danse de la joie », comme le font les mauvais acteurs dans les pubs de loterie.

— Maman, arrête, les gens te regardent.

— Eh bien, qu'ils regardent! Je viens de faire un abat!

— Un abat, tout un exploit! dis-je.

— À ton tour, jeune fille.

Malgré les leçons particulières de Doug, ma mère est toujours une piètre joueuse de quilles, et je passe à un cheveu de gagner la deuxième partie, m'inclinant devant Doug par huit misérables points.

— Un deux de trois, ça vous dirait? suggère Doug. Le perdant paie la crème glacée à tout le monde.

Doug a beau être plus âgé que moi et entraîneur, ma mère le distrait beaucoup. C'est beau l'amour et tout, mais c'est un désavantage aux quilles. Je me dis que c'est dans le sac.

— Marché conclu.

Doug sourit à belles dents, et nous nous serrons la main.

— Ne vous occupez pas de moi, surtout, dit ma mère en roulant les yeux.

— Si tu gagnes, je te paie la crème glacée pendant un mois, souligne Doug.

Ma mère fait mine de le frapper du poing, et Doug vacille comme s'il avait été durement touché. Puis il lui prend la tête et lui fait une clé autour du cou, menaçant de la décoiffer. Pendant une terrible seconde, j'ai peur qu'ils se mettent à lutter.

— Hé! Est-ce qu'on peut jouer? Les gens nous regardent.

— Toutes ces victoires m'ont donné soif. Tu veux boire quelque chose, Annie?

— Je prendrais bien de l'eau.

Doug sort son portefeuille de sa poche arrière et me tend un billet de dix dollars.

— Tiens, apporte-nous deux bouteilles d'eau et prends ce que tu veux. Merci, Clarissa. Tu es adorable. Et bonne perdante, aussi.

Je lui arrache le billet des mains et me dirige vers le restaurant dans le coin de la salle. En fait, il s'agit plutôt d'un bar, avec des tabourets et quelques ensembles de table et de chaises installés le long du mur. Deux bouteilles d'eau ne coûtent même pas cinq dollars, donc je décide de me payer la traite. D'après le menu, je peux avoir un hot-dog, des frites, des nachos ou des friandises dans la distributrice. Tout un restaurant.

— Salut, je peux t'aider?

La serveuse me sourit. Elle a des fossettes et les mêmes terrifiantes dents luisantes que tous les autres chez *Shake, Rock'n' Bowl*. Même si le nom « Shirley » est brodé sur son maillot, et que ses cheveux tirés sortent par l'ouverture à l'arrière de son affreuse casquette *Shake, Rock'n' Bowl*, je la reconnaîtrais n'importe où. Charity Smith-Jones.

Aveu

— Alors? Qu'est-ce que ce sera pour toi?

— Charity!

La confusion ou peut-être est-ce la panique, se lit sur son visage.

— C'est Clarissa, la meilleure amie de Benji!

Charity cligne des yeux puis sourit.

— Oh, oui, bien sûr. Je me souviens de toi. C'est difficile de reconnaître les gens avec ces fichues lumières.

Est-ce mon imagination ou Charity semble nerveuse?

— Alors, comment s'est passée ton audition?

Je m'efforce de prendre un ton aussi aimable et sincère que possible sans avoir l'air trop contente de moi. Charity n'a pas pu aider Benji à répéter comme prévu, prétextant une audition, et la voilà chez *Shake, Rock'n' Bowl*. Voyons si ses talents d'actrice lui permettront de se sortir d'affaire.

À ma grande surprise, elle se penche vers moi.

— Peux-tu garder un secret?

Immédiatement, je deviens méfiante, mais je suis surtout curieuse. Quel genre d'histoire croustillante une célébrité locale comme Charity peut-elle cacher?

— Je n'avais pas d'audition aujourd'hui, avoue-t-elle.

— De toute évidence.

— Il fallait que je travaille. Ici.

— Je ne comprends pas. Tu n'es pas actrice?

— Bien sûr que je le suis!

— Est-ce que tu n'as pas tourné, comme… des milliers

de publicités?

Charity écarte ma question d'un geste, comme si ce n'était rien.

— Je n'en ai fait que quelques-unes. Tout le monde s'imagine que j'en ai tourné beaucoup à cause de celle du café qui passe sans arrêt.

C'est le moins qu'on puisse dire.

— Alors pourquoi faut-il que tu travailles?

— Je n'ai pas vraiment le choix.

— Donc, on te force à travailler dans cette salle de quilles contre ton gré?

Charity est visiblement mal à l'aise.

— Si l'on peut dire.

Voyant que je n'ajoute rien, elle déclare :

— C'est mon beau-père qui est propriétaire de cet endroit.

Devant mon expression incrédule, elle roule les yeux et ajoute :

— Je sais, c'est tout à fait embarrassant, n'est-ce pas?

— Non, dis-je, mais je reconnais que mon ton n'est pas des plus convaincants.

— Oui, ça l'est, et je déteste être ici. Mais c'est très important pour ma mère, et je dois avouer que Mike en fait beaucoup pour moi. Il me conduit à Toronto pour mes auditions, entre autres. Alors, je ne peux pas vraiment refuser.

— Je comprends.

C'est tout ce que je trouve à dire.

Au même moment, un client s'avance au bar et commande des frites. Charity se glisse dans la peau de la serveuse souriante tandis que j'essaie de me faire à l'idée que Charity est la belle-fille du proprio du *Shake, Rock'n'*

Bowl. Je me rappelle avoir vu sa photo dans *Le Clairon*; c'est un homme petit et un peu bizarre, avec de grandes oreilles et des cheveux en bataille. Difficile de croire qu'il a un lien de parenté avec l'élégante Charity.

— Désolée, dit cette dernière en poussant un panier de frites vers moi. Tu en veux? Gracieuseté de la maison. Il n'y a pas beaucoup de gens qui savent que je travaille ici. C'est pour ça que j'ai dit à Benj que j'avais une audition aujourd'hui. Je sais que ce n'est pas génial, mais je n'ai rien trouvé d'autre à lui dire. Je ne pouvais pas me libérer de ce quart de travail.

— Il était très inquiet au sujet de sa chanson.

Je ne peux m'empêcher de remuer un peu le couteau dans la plaie. Ça fonctionne, car Charity a une expression sincèrement coupable.

— Je sais, et je m'en veux. Mais je lui ai dit que je l'aiderais la semaine prochaine. Il s'en tire bien, il lui manque seulement un peu d'assurance.

— C'est ce que je lui ai dit.

Charity sourit.

— Peut-être qu'à nous deux, on réussira à le convaincre qu'il sera formidable.

Le sourire de Charity est si contagieux que j'en oublie presque qu'elle a menti au sujet de son audition. Je dis bien « presque ».

— Est-ce que tu racontes toujours aux gens que tu as une audition quand tu dois travailler? dis-je d'un ton plein de sous-entendus.

— Il n'y a qu'une autre fois où j'ai dû inventer une excuse, admet Charity. Écoute, Benji est ton meilleur ami, n'est-ce pas?

— Exact.

— Je sais que tu ne me dois rien, mais j'apprécierais beaucoup si on pouvait garder tout ceci entre nous.

Je réfléchis, prenant plaisir à exercer mon pouvoir, ne serait-ce que pour quelques secondes.

— S'il te plaît, Clarissa?

— D'accord.

Ma réponse semble la soulager d'un grand poids.

— Oh, merci, merci, merci! Je te revaudrai ça, Clarissa. Tu dois penser que je suis une personne horrible. Tu n'as probablement jamais menti à tes amis.

Pas délibérément, me dis-je avant de répliquer :

— Tu n'es pas horrible.

— C'est gentil.

Charity fait la grimace.

— Tu sais ce qui est horrible? Cet endroit. En rentrant chez moi, je dois prendre une douche immédiatement pour éliminer l'odeur de hot-dogs qui imprègne mes cheveux. Ça sent les aisselles moites de sueur et le vieux fromage.

Maintenant qu'on a évité la crise, Charity est joviale et épanouie de nouveau.

— Alors, avec qui es-tu? reprend-elle.

— Avec ma mère et Doug.

— Qui est Doug?

— Son petit ami.

Charity sourit avec compassion.

— Et il t'a emmenée ici pour t'amadouer, c'est ça?

Je hoche la tête

— C'est à peu près ça.

— C'est nul. Ma mère est sortie avec un tas de ratés avant d'épouser Mike. L'un d'eux m'emmenait voir ses matchs de baseball. J'ai *horreur* du baseball.

— Doug a un petit monstre de chien. Il doit s'imaginer

que tous les enfants aiment les chiens.

Charity grogne.

— C'est le coup classique : utiliser des animaux pour attirer les enfants. Est-ce que tu l'aimes?

Je lui réponds d'un haussement d'épaules.

— Parce que sinon, je peux te donner quelques trucs pour faire fuir les beaux-pères potentiels. Mon frère et moi, on a beaucoup d'expérience.

— C'est vrai?

— On a fait peur à un type en faisant semblant de mouiller notre lit. Tous les matins, on se levait tôt pour verser un verre d'eau dans nos lits, puis on entrait dans la chambre de notre mère en pleurant parce qu'on avait encore fait pipi au lit.

— Vous pleuriez réellement?

Charity paraît vexée.

— Je ne serais pas actrice si je ne pouvais pas pleurer sur commande. Ce sont eux, dans l'allée numéro sept?

Je regarde dans la direction que Charity indique et, en effet, ce sont eux, enlacés.

— Ils dansent un slow? demande-t-elle.

Je frémis.

— On dirait bien.

Charity secoue la tête.

— Dans ce cas, tu ferais mieux d'agir vite. Ils semblent partis pour la gloire.

— Est-ce que tu aimes ton beau-père?

Charity se verse un verre de Coke et fait tourner les glaçons avec sa paille.

— Je ne l'aimais pas au début, mais il faut dire que c'était toujours comme ça avec les amis de ma mère. Mais Mike était gentil. Il faisait la vaisselle et louait des films qu'on

VIKKI VanSickLe

pouvait tous regarder. Après chacune de mes auditions, il m'achète un muffin aux pépites de chocolat parce qu'il sait que ce sont mes préférés... Alors oui, je l'aime.

Charity s'interrompt, l'air sombre.

— Mon vrai père n'est pas d'accord avec le fait que je fasse de la pub. Il croit que tous les enfants acteurs deviennent des toxicomanes.

— Le vois-tu très souvent?

— Une fin de semaine sur deux, et un mois durant l'été. Et toi?

— Oh, mes parents ne sont pas divorcés. Je n'ai pas connu mon père.

Charity cesse de se bourrer de frites et me considère comme si elle ne m'avait jamais vraiment vue avant.

— Il est mort? demande-t-elle au bout de quelques secondes.

— Non. Mais il est parti avant ma naissance.

Soulagée, Charity vide son verre de Coke à grand bruit.

— Aïe, fait-elle. Et Doug, tu l'aimes?

J'y pense pendant un instant.

— Je ne le déteste pas.

Charity sourit.

— C'est déjà ça.

Elle hoche la tête en direction de l'allée numéro sept.

— Tu ferais mieux de retourner jouer avant qu'ils aillent trop loin.

Je descends du tabouret, prends les bouteilles d'eau pour Doug et ma mère, et remercie Charity pour les frites.

— Il n'y a pas de quoi. Merci pour ta discrétion. Tu es vraiment cool, Clarissa. Je comprends pourquoi Benji t'aime tant.

Imaginez. Charity Smith-Jones me trouve cool, moi,

184

Clarissa Louise Delaney. Cet aveu me met de si joyeuse humeur que ça m'est égal lorsque Doug me bat et que je me retrouve à payer la crème glacée à tout le monde sur le chemin du retour.

Ancien amour

Habituellement, c'est Denise qui amène ma mère à ses rendez-vous chez le médecin. Ma mère n'aime pas y aller seule, et Denise a l'impression de se rendre utile, même si elle roule trop vite durant tout le trajet et qu'elle froisse la réceptionniste. Aussi, lorsque Doug arrive au volant de sa fougueuse voiture rouge, je n'en crois pas mes propres yeux.

— Qu'est-ce que Doug vient faire ici?

— Il me conduit à mon rendez-vous. Veux-tu manquer l'école et venir avec nous? demande ma mère.

— Non.

Je dis toujours non. Certains trouvent pire de ne pas savoir, alors que je préfère ignorer les mauvaises nouvelles aussi longtemps que possible. Comme ça, si les nouvelles sont vraiment mauvaises, je profiterai de quelques moments d'ignorance de plus. Et si les nouvelles sont bonnes, qu'est-ce que ça peut bien faire? Elles sont bonnes, voilà tout!

— Tu n'y vas pas, toi? dis-je à Denise, qui est étrangement silencieuse.

— Je lui ai donné congé, dit ma mère d'un ton léger.

Denise rit, mais son rire paraît un peu forcé. Je lui jette un regard à la dérobée et, effectivement, les veines de son cou font saillie comme si elles allaient éclater.

— J'ai des tas de trucs à faire, lance-t-elle en esquissant un geste de la main.

Dehors, Doug appuie sur le klaxon, quoique je ne sois pas certaine que le mot klaxon convienne dans ce cas-ci.

J'ai entendu des sonnettes de bicyclette qui semblaient plus menaçantes.

Ma mère enlace les épaules de Denise et lui donne trois baisers rapides sur la joue.

— Je t'aime, DeeDee.

Celle-ci lève une main et tapote la joue de ma mère.

— Allez, file. Et assure-toi que cet homme te paie un bon dîner.

Ma mère sort, laissant derrière elle l'odeur de son beurre corporel à la noix de coco, et des traces de rouge à lèvres rose sur la joue de Denise.

— Eh bien, la puce, il n'y a plus que toi et moi, dit Denise en soupirant. Ça te rappelle des souvenirs?

Je ne me donne pas la peine de répondre. Je regarde plutôt Doug reculer dans l'allée avec ma mère, au volant de sa rutilante voiture rouge.

— Ça vaut cher, cette voiture? dis-je en désignant d'un coup de menton l'allée maintenant déserte.

— Milieu de gamme, je dirais, répond Denise. Bien que, tel que je le connais, il a probablement si bien négocié qu'on lui a fait une offre avantageuse.

— Il l'a peut-être obtenu lors du divorce.

Denise renâcle.

— Clarissa, tu es le diable en personne. Tu ne l'aimes pas beaucoup, hein?

Denise a cessé de feuilleter son magazine et me fixe en attendant ma réponse. Je deviens aussitôt méfiante. Denise n'a jamais fait preuve de loyauté envers moi : un mot de travers, et elle va courir bavasser à ma mère. En revanche, ma mère l'a abandonnée ici avec moi pendant qu'elle se balade en ville avec ce Doug. Et s'il y a un sujet délicat avec Denise, c'est bien celui des hommes. Surtout depuis que son histoire avec Dennis a tourné au vinaigre.

— Ce n'est pas tant Doug lui-même que l'idée de Doug, dis-je en espérant que ma réponse est assez énigmatique pour lui clouer le bec.

Mais à mon grand étonnement, Denise hoche la tête.

— Je comprends ce que tu veux dire, déclare-t-elle d'un ton songeur. Mais tu sais, en ce qui concerne les hommes, on ne fait pas mieux que Doug Armstrong.

— Il est mieux que mon père?

Denise reste figée.

— D'où sors-tu une question pareille?

— Je ne sais pas, dis-je en haussant les épaules. Je ne l'ai jamais rencontré. Je me demandais simplement comment il se compare à Doug.

Denise paraît gênée.

— Tu ne penses pas que c'est le genre de conversation que doivent avoir une mère et sa fille?

— S'il te plaît. Tu connais maman. Elle ne me dira rien. Je veux savoir la vérité.

Denise ricane.

— La vérité! À t'entendre, c'est comme si nous te cachions un lourd et terrible secret.

— Comment suis-je censée savoir qu'il n'y en a pas? Personne ne parle jamais de lui.

— Il n'y a pas de secret, affirme Denise.

— Alors, parle-moi de lui. Juste un peu. S'il te plaît?

Denise a l'air mal à l'aise.

— Je ne sais pas trop, la puce, ce n'est vraiment pas mon rôle de…

— Je t'en prie!

— Je crois que c'est la première fois que tu me supplies pour obtenir quelque chose, fait remarquer Denise d'un ton taquin.

Je me retiens pour ne pas m'indigner ni répliquer en me rappelant qu'il y a des choses plus importantes en jeu. À savoir, des informations.

— Exactement, dis-je. Ce qui prouve à quel point je suis sérieuse.

Denise se lève et fouille dans l'armoire du haut, également surnommée le bar. Il n'y a pas grand-chose là-haut, mais elle doit avoir trouvé ce qu'elle cherchait, car elle ajoute une giclée de quelque chose à son café avant de se rasseoir à la table.

— Très bien. Mais on va faire ça à ma façon, compris?

Denise avale une gorgée de café avant de continuer.

— Tu poses les questions, et je vais faire de mon mieux pour y répondre. Si la réponse ne te plaît pas, tant pis. Ne te venge pas sur moi.

— Promis.

Denise se penche en avant, plisse les yeux et pointe le doigt (évidemment, le vernis de ses ongles est impeccable) vers moi et me prévient :

— Ne me fais pas regretter ma décision. Je n'ai pas envie d'apprendre que tu l'as cherché sur YouTube ou je ne sais trop où, et que tu t'es enfuie comme dans les téléfilms.

Je trace un X sur mon cœur avec mon doigt.

— Je ne ferais jamais ça.

Denise remue son café avant d'en prendre une autre bonne gorgée.

— Je suis prête. Vas-y.

— De quoi avait-il l'air?

Denise est incrédule.

— De quoi avait-il l'air? répète-t-elle. Après toutes ces années, tu veux savoir de quoi il avait l'air? Tu ne peux pas

189

juste lancer une recherche sur Google? De nos jours, on peut trouver la photo de n'importe qui.

Quand elle finit par comprendre que je ne changerai pas d'idée, Denise s'adoucit.

— Bon, d'accord. Il était plutôt maigre et nerveux, mais pas dans le sens chétif. Il avait une belle peau, des dents convenables, et sa grosse tignasse lui tombait constamment dans les yeux.

Denise s'étrangle de rire.

— On trouvait que ça lui donnait l'air poétique.

— Poétique…

— Ouais, dit Denise en levant les yeux au ciel. Poétique. Tu sais, du type romantique et torturé. Mais je parie qu'il n'a jamais lu un poème de sa vie.

— Pourquoi?

— Comprends-moi bien, c'était un gars intelligent, mais il n'avait pas grand intérêt pour l'école, surtout quand ça devenait le moindrement exigeant. Et Bill Davies aurait certainement considéré la poésie comme une matière exigeante.

Je ne sais si c'est une bonne ou une mauvaise chose.

— Est-ce qu'il aimait les chiens?

— Mais qu'est-ce que c'est que cette question?

— Tu as dit que je pouvais te demander n'importe quoi.

— Je ne sais pas. Question suivante.

— Est-ce qu'il voulait des enfants?

— Honnêtement, je ne suis pas certaine, mais j'en doute. Sans vouloir t'offenser, la puce, un homme aussi absorbé par sa propre personne n'a pas beaucoup de place pour quelqu'un d'autre dans sa vie.

— Pourquoi? Comment était-il?

— Il pouvait être détestable. Les parents d'Annie ne

l'aimaient pas tellement, ça, c'est sûr. Ils le trouvaient très vantard; grand parleur, petit faiseur. Au bout du compte, ils avaient raison. Mais il était… charmant, drôle. Un peu effronté, comme quelqu'un que je connais…

— Est-ce que je te fais penser à lui?

Denise penche la tête et m'observe attentivement pendant un moment.

— Je crois qu'il y a quelques petites choses, finit-elle par dire.

— Comme?

— Eh bien, tes cheveux, entre autres. Et tu es maligne comme lui.

Denise rit.

— Qu'est-ce qu'il y a de si drôle?

— Je me disais que je paierais cher pour vous voir vous affronter, tous les deux, dit-elle en ricanant. Bon sang, ce serait toute une épreuve de force! Mais pour ton information, sache que je parierais sur toi n'importe quand. Tu as peut-être hérité de la grande gueule de ton père, mais tu possèdes le charme de ta mère. Et ça, la puce, c'est une combinaison dangereuse.

— Comment ma mère et lui se sont-ils rencontrés?

— Comme tout le monde dans cette petite ville perdue : à une fête dans le bois. Ta mère allait à Sir John A., et lui à Bennington. Elle sortait avec Steve Fréchette à cette époque-là, mais Bill a posé les yeux sur elle alors qu'elle sermonnait un gars du deuxième cycle qui s'attaquait à un plus jeune, et c'était réglé.

— Qu'est-ce qui était réglé?

— Eux. Tu sais… Il fallait qu'il l'ait. Il l'a invitée ce soir-là, mais elle a refusé. Il l'a réinvitée trois fois avant qu'elle accepte de le rencontrer au comptoir de crème glacée pour boire un lait frappé.

Denise sourit à ce souvenir.

— Ce soir-là, ta mère m'a téléphoné en rentrant chez elle et m'a dit : « DeeDee, cet homme pourrait vendre un frigo à un Esquimau. » C'était avant qu'on commence à dire Inuit.

— Tu l'aimais?

— Je l'aimais bien, oui, dit Denise. Mais je préfère Doug. Il est plus gentil; il écoute vraiment quand on lui parle.

— O.K., O.K.

Je sens qu'on fait fausse route. Je n'ai pas besoin d'une liste des attributs de Doug.

— Qu'est-ce qui s'est passé? Pourquoi ont-ils rompu?

Denise hausse les épaules.

— Ce n'était pas une raison en particulier. Vers la fin, ils étaient comme chien et chat. Bill était jaloux de toute l'attention que ta mère recevait, car elle était devenue une célébrité locale et tout. Il n'aimait pas qu'elle consacre beaucoup de temps à ses obligations de reine de beauté. Ta mère trouvait qu'il prenait les choses trop au sérieux. Puis un jour, il est parti visiter son oncle dans l'Ouest, et il n'est jamais revenu. Ta mère se sentait mieux sans lui autour; elle n'a donc jamais cherché à le retrouver. Ils se sont perdus de vue, comme cela arrive parfois.

Je suis restée sur ma faim. Comment une si belle histoire a-t-elle pu se terminer ainsi?

— Pourquoi l'avait-elle choisi? Si ma mère pouvait avoir le garçon qu'elle voulait, pourquoi l'avoir choisi, lui?

Denise avale le reste de son café.

— Oh, chérie. On ne choisit pas. C'est bien ce qui est si ironique; c'est l'amour qui nous choisit. Ou plutôt, l'amour choisit *certains* d'entre nous. C'était quand, la dernière fois où j'ai roulé à toute allure dans une voiture rouge avec un homme?

Je fais mine de ne pas avoir entendu son dernier commentaire.

— Est-ce qu'elle l'aimait?

— Bien sûr qu'elle l'aimait. Follement. Mais avec Doug, c'est différent. Du temps de Bill, elle n'était qu'une enfant. Lui aussi, d'ailleurs. Elle était à peine plus âgée que toi… Bon sang, sais-tu comment ça me vieillit? Je n'arrive pas à le croire; comme le temps passe!

— Tu disais?

— Oui. Du temps de Bill, ils étaient deux jeunes écervelés, naïfs et amoureux. Mais Doug… Doug est le premier homme que ta mère a aimé en tant que femme. Et c'est une tout autre histoire.

Encore ce mot. Aimer. On l'entend tous les jours, mais quand on s'y arrête et qu'on se demande ce que ça signifie vraiment, c'est trop grand pour qu'on y comprenne quoi que ce soit. On utilise le même mot pour notre chanson ou notre paire de chaussures préférées que pour expliquer ce que l'on éprouve pour des gens qui sont tout pour nous. Comment est-ce possible? Il existe sûrement dans la langue française d'autres mots pour décrire les différents types d'amour que l'on ressent. Il paraît que les Inuits disposent de 50 mots différents pour la neige; est-ce que nous ne devrions pas en avoir au moins 100 pour décrire l'amour? Pour Mattie, c'est le baiser parfait, des poèmes et l'amour qui dure toujours. Pour ma mère, c'est laisser quelqu'un d'autre que sa plus vieille et meilleure amie au monde la conduire à un important rendez-vous chez le médecin. Mais qu'est-ce que l'amour signifie pour moi? Si ma mère est amoureuse de Doug, qu'est-ce qui va se passer maintenant? Viendra-t-il vivre avec nous? Se marieront-ils? L'amour : un petit mot tout simple, mais lourd de conséquences.

— Autre chose? demande Denise.

— Non, ça ira. Merci.

— As-tu trouvé ce que tu cherchais?

— Je ne sais pas, dis-je en le pensant vraiment.

* * *

Je passe le reste de la journée dans le brouillard. Ma tête est remplie de nouvelles et de surprenantes informations. J'ai du mal à digérer tout ça et à être attentive en classe. Je n'avais jamais beaucoup pensé à mon père avant. Mais maintenant, avec Doug dans le décor, je ne peux m'empêcher de me poser des questions sur lui. Bill Davies, l'homme dont je partage l'ADN.

— Qu'est-ce qui ne va pas? demande Benji entre deux cours.

— Rien, dis-je, mais je perçois la distraction dans ma propre voix.

— J'ai vu ta mère partir avec Doug ce matin. Où est-ce qu'ils allaient?

— À l'hôpital.

Benji écarquille les yeux.

— Tu veux dire qu'elle y est allée avec Doug et non Denise?

J'acquiesce d'un signe de tête.

— Je suppose que c'est sérieux entre eux.

— Je suppose.

— Étrange, dit Benji. Mais charmant, non?

— Si on veut.

Je ne sais pas si ça me plaît de voir que tout le monde approuve tellement cette relation entre Doug et ma mère. Même si je ne l'ai jamais rencontré, je plains mon père. Il n'a pas la moindre chance; il n'est pas là pour se défendre contre Doug. De plus, comme Bill est mon père, est-ce que ça me place automatiquement dans son camp? Est-ce que j'ai même le choix?

— Ça me plairait que mon père se remarie, déclare Benji pensivement. Ce serait bien d'avoir une femme dans la maison.

— Qui a parlé de mariage? Ils viennent juste de commencer à se fréquenter.

— Je sais, mais les choses vont plus vite à un certain âge.

J'en ai assez entendu pour aujourd'hui. Ma tête va éclater.

— Est-ce qu'on pourrait changer de sujet?

— Bien sûr, dit Benji. Alors, qu'est-ce que tu vas faire à propos de Michael?

Sapristi. Je n'aurais jamais cru dire ça un jour, mais vivement le cours de maths.

Animal

Lorsque je rentre de l'école, il y a un message vocal de Doug pour moi.

— Salut, Clarissa! Puisque nous sommes dans la grande ville, Annie m'a fait l'honneur d'accepter mon invitation au restaurant puis au cinéma, alors nous allons rentrer tard ce soir.

J'entends le rire de ma mère en bruit de fond.

— Allô, ma chouette! Je vais te rapporter une gâterie!

Une gâterie. Comme si j'étais un animal de compagnie.

— J'espérais que tu pourrais me rendre un grand service et passer chez moi pour cajoler un peu Suzy. Laisse-la courir dans la cour arrière, donne-lui de la nourriture (elle est sous l'évier) et elle sera à toi pour toujours. Merci, Clarissa. Je te revaudrai ça!

Et sur ce, il raccroche.

Me voilà donc obligée de m'occuper du chien piteux de Doug. Il ne m'a pas vraiment laissé le choix. Autant en finir tout de suite.

J'appelle Benji pour savoir s'il veut m'accompagner, mais il ne pense qu'à sa comédie musicale, qui sera mise à l'affiche dans une semaine. Récemment, je me ferme les oreilles dès qu'il est question de la pièce, et plus la première approche, plus il en parle.

— En toute autre occasion, tu sais que j'irais avec toi. Mais je vais chez Charity pour un souper pizza et une répétition à l'italienne. Tu saisis? Répétition à l'italienne, pizza?

— Oui, je saisis, dis-je, même si je ne suis pas tout à fait sûre de ce qu'est une répétition à l'italienne.

Mais si Benji n'a pas l'intention de me l'expliquer, je ne vais pas le lui demander.

— Il faut que je sois là, c'est une tradition.

— Pas de problème! dis-je d'un ton qui me fait paraître beaucoup plus joyeuse que je le suis en réalité.

Même Mattie est occupée.

— Nous sortons en famille pour souper. Mais je pourrais demander si tu peux venir aussi, et ensuite je pourrais t'accompagner.

— Non, ça ira.

— Tu es sûre?

— Mais oui, Suzy est à peine un chien.

— Appelle-moi sur le cellulaire de ma mère si tu as besoin de moi! ajoute Mattie en me donnant le numéro.

— Merci, dis-je sans enthousiasme.

* * *

Le trajet jusque chez Doug ne prend que 15 minutes. Incroyable. Durant tout ce temps, l'homme de ses rêves habitait à 15 minutes de chez nous, et ma mère l'a rencontré il y a quelques mois à peine. Je me demande s'il leur est déjà arrivé de se croiser; peut-être a-t-il déjà attendu derrière elle à la station-service ou peut-être ont-ils déjà parlé de la pluie et du beau temps en faisant la file au supermarché.

En supposant qu'ils se soient déjà croisés, je me demande pourquoi ils ne sont pas sentis attirés l'un par l'autre à ce moment-là. Peut-être parce que Doug était toujours marié et que la priorité de ma mère était encore de sacrifier son bonheur pour moi, l'enfant ingrate. Mais quand on rencontre l'amour de sa vie, est-ce qu'on ne devrait pas s'en apercevoir instantanément?

Je me demande quelle est la place de Michael dans tout ça. Non pas que je le considère comme l'amour de ma vie ni quoi que ce soit de ce genre; mais je le connais depuis toujours et avant, je n'avais jamais voulu l'embrasser. Même si ça me coûte de dire ça, je crois que Denise avait raison : l'amour est étrange.

La maison de Doug ressemble à toutes les autres vieilles maisons de la rue : petite, carrée, en briques brunes avec des volets d'un brun un peu plus foncé. Sa pelouse est bien tondue, et il y a un aménagement élaboré en treillis devant la maison. Il l'a probablement fait lui-même. Doug parle constamment des choses qu'il a construites « de ses propres mains ». Il y a des circulaires dans la boîte aux lettres, et puisque je suis là pour rendre service, je les prends avec l'intention de les laisser sur le comptoir.

Le double de clé est exactement là où Doug a dit qu'il serait, à l'intérieur du barbecue près de la porte de côté. Quand je me suis étonnée de la logique d'une telle cachette, il m'a avoué que c'était son vieux barbecue, et que celui dont il se sert se trouve à l'arrière.

— Tu gardes le vieux barbecue rien que pour cacher ton double de clé?

— Mais aussi pour tromper quiconque serait tenté de voler un barbecue, a expliqué Doug. En voyant celui-là, les voleurs le prendront sans se douter que le bon est en lieu sûr dans ma cour arrière.

— On vole beaucoup de barbecues dans le voisinage?

— La question n'est pas là. La question, c'est de toujours

être prêt.

Je prends la clé dans le barbecue « figurant » et, avant même d'ouvrir la porte, j'entends Suzy qui pépie. On ne peut pas vraiment employer le mot jappement pour décrire les bruits qu'elle fait, car ils sont trop aigus.

— Calme-toi, dis-je tout bas. Ce n'est que moi.

Je ne veux pas ouvrir la porte trop grande, sinon Suzy se précipitera dans la cour. Il faut une certaine agilité pour se glisser dans la maison par l'entrebâillement de la porte. J'avance d'abord un pied de façon à pouvoir repousser Suzy pendant que je me faufile à l'intérieur. À la seconde où j'y suis, elle se met à faire des petits bonds en décrivant des arcs amusants; elle me rappelle les petites chèvres d'un dessin animé que j'ai vues une fois à la télé, et qui sautaient d'une falaise à l'autre. C'est presque attendrissant.

Comme Doug l'avait dit, la nourriture de Suzy est rangée dans l'armoire directement sous l'évier. Je l'aurais probablement trouvée toute seule. Après m'avoir couvert les chevilles de baisers de chien mouillés, Suzy trotte droit vers l'armoire en question et se couche devant, me regardant d'un air triste et affamé entre les poils qui lui tombent devant les yeux.

— O.K., O.K.

Elle recommence à pépier et zigzague entre mes pieds tandis que je vais chercher son bol. Ce qu'elle peut être stupide! Elle ne comprend donc pas que j'y arriverais plus vite si je n'avais pas peur de me tuer en trébuchant sur elle? Je dois la pousser avec mon pied pour ouvrir l'armoire. Une fois que son repas est dans son bol, elle m'ignore complètement, mâchant bruyamment sa nourriture pour chiens haut de gamme.

Maintenant que Suzy est occupée, c'est l'occasion pour moi de jeter un coup d'œil dans la maison de Doug. S'il était ici, je suis certaine qu'il me ferait faire le tour du proprio et qu'il voudrait que je me sente chez moi. J'enlève donc mes chaussures et commence ma visite.

Agent secret

Je ne suis encore jamais entrée dans la maison d'un célibataire, à moins de compter celle de Benji, ce qui n'est pas la même chose puisque le Dentonateur n'est pas célibataire, mais plutôt veuf et père d'un fils. Je me sens un peu comme Boucles d'or à me promener d'une pièce à l'autre. C'est plus propre que ce que j'avais imaginé, mais il manque ce que ma mère appellerait une touche féminine. À mon avis, il manque une touche tout court. Les murs sont nus, exception faite de quelques affiches de spectacle. Dans la cuisine, il y a tout un approvisionnement de boissons protéinées en poudre, de barres énergétiques, des boîtes et des boîtes de pâtes alimentaires au blé entier, quelques bananes tachetées et six boîtes de céréales différentes.

Dans le salon, un énorme téléviseur à écran plat couvre la majeure partie du mur, en face duquel se trouvent un canapé banal et un fauteuil tout aussi ordinaire dans une teinte que Benji appellerait écru, mais que la plupart des gens décriraient comme beige. Quand on y regarde de plus près, on aperçoit des mouchetures brunes et grises dans le tissu. Une étagère basse est placée devant la fenêtre en saillie. Elle est remplie de manuels pratiques sur la condition physique et l'alimentation qu'il doit probablement consulter pour son travail d'entraîneur personnel. N'empêche qu'il y a des titres surprenants, quand même, comme le dictionnaire du Scrabble et quelques romans volumineux écrits par des auteurs dont les noms ressemblent à du russe ou autre

201

langue tout aussi compliquée.

Le sous-sol est divisé en trois pièces. Le plafond est bas. C'est difficile d'imaginer un homme aussi grand que Doug y marcher sans difficulté. La majeure partie des trucs que j'aperçois sont ceux que l'on trouve habituellement dans les sous-sols. Il y a une pièce remplie de vieil équipement d'exercice et d'autres livres encore portant sur l'alimentation et la condition physique; une salle de lavage avec trois types de détersif et une corbeille à papier en plastique curieusement remplie de charpie de sécheuse violette. Le plus cool de tout, c'est la pièce de détente aux murs lambrissés de bois foncé au bout de laquelle se trouve l'un de ces bars rétro. Il est même équipé de tabourets pivotants dotés de sièges rouges, et une tasse en bois remplie de bâtonnets à cocktail en plastique (comme ceux que l'on utilise pour piquer une cerise ou une olive, ou pour décorer une boisson sophistiquée) repose sur le comptoir à motif de tourbillons noirs et argentés. Parfait pour les réceptions, il a l'air sorti tout droit d'un film.

Ma mère se plaint sans cesse qu'il n'y a pas de place dans notre maison pour recevoir. Je n'ai jamais compris pourquoi elle ressentait le besoin d'inviter des gens alors qu'elle en voit toute la journée au Bazar Coiffure, mais c'est le genre de pièce dont elle raffolerait. Elle n'aimerait probablement pas que ce soit aussi sombre, mais je suppose qu'elle trouverait un moyen d'égayer la pièce. Elle possède la touche féminine qui manque à la maison de Doug. Je l'imagine ici parmi ses invités, un verre de vin à la main, le boute-en-train de la soirée. Tout à coup, la pièce me paraît trop sombre, les plafonds me semblent trop bas, et je n'ai qu'une envie, sortir.

Il n'y a qu'une pièce dans laquelle je ne suis pas entrée.

C'est la seule dans toute la maison dont la porte est fermée. Je présume que c'est la chambre de Doug. Une seule autre pièce est dotée d'un lit, et j'ai l'impression que personne n'y a dormi depuis des années. Je me mets à la place de Doug; comment est-ce que je me sentirais s'il venait dans ma chambre? Pour autant que je sache, Doug ne s'est jamais approché de ma chambre. Je piquerais sûrement une crise s'il y entrait sans ma permission. En revanche, il sort avec ma mère, alors je me dis que nous sommes quittes.

Le lit de Doug est gigantesque et recouvert d'un duvet bleu marine recroquevillé de telle façon qu'on pourrait penser que quelqu'un dort là-dessous. Au pied du lit se trouve un gros coussin rose en forme de beignet. Il est pelucheux par endroits et mâchonné à d'autres, et à en juger par la quantité de poils rêches qui y adhèrent, j'en conclus que c'est la place de Suzy. Il la laisse dormir sur son lit? Beurk.

Une grosse commode en bois massif de couleur miel est jonchée de toutes sortes d'articles pour hommes que je n'ai pas l'habitude de voir : un bâton très grand format de déodorant à triple action; des flacons de lotion après-rasage et de l'eau de Cologne au parfum épicé qui me fait pleurer; un peigne en plastique comme ceux qu'utilisent les barbiers traditionnels; une poignée de monnaie; et une grosse montre étanche. Il y a aussi une photo encadrée de Suzy assise sur le gazon, la tête inclinée comme les chiens qui essaient d'être mignons dans les pubs de nourriture canine. À part quelques cheveux sur le peigne et de la mousse de vêtements mêlée à la monnaie, je dois reconnaître que c'est assez propre.

Dans la penderie, des chemises et des maillots de sport sont suspendus à côté des pantalons soigneusement pliés sur des cintres. Par terre, des rangées de chaussures sont alignées, bouts devant. Sur la tablette du haut, des boîtes à chaussures sont empilées. Ah, ah! Le gros lot. Si je veux découvrir un secret à propos de Doug, une boîte à chaussures dans une penderie est un excellent endroit par où commencer. Toutefois, ce ne sera pas facile de descendre les boîtes de là. Il n'y a pas de chaise ni quoi que ce soit d'autre sur lequel grimper dans la chambre de Doug. Je devrai aller en chercher une dans la cuisine.

Se promener dans la maison de quelqu'un est une chose, mais aller jusqu'à traîner une chaise dans le but d'atteindre sa pile de boîtes à chaussures et d'en examiner le contenu en est une autre. Je suis passée de Boucles d'or à espionne accomplie. Bof, tant pis. Ce n'est pas comme si je n'avais jamais trempée dans le crime, avec mes antécédents de fausses lettres, sur lesquels M. Campbell a si gentiment passé l'éponge, et de chantage, cette dernière manœuvre ayant mené au renvoi de Terry DiCarlo, qui le méritait bien d'ailleurs.

Je vais chercher une chaise dans la cuisine et la place devant la penderie. Parfait, j'atteins tout juste la boîte du dessus. Je les descends toutes, notant mentalement l'ordre dans lequel elles sont empilées. Tant qu'à jouer les espionnes, autant bien le faire. Doug ne saura jamais que je suis entrée dans sa chambre; à moins, bien sûr, que je découvre des informations compromettantes, auquel cas je devrai probablement révéler ma source afin de prouver mes allégations. Nerveuse, je sens la peur me prendre au ventre, et mes mains tremblent un peu tandis que j'ouvre la première boîte et que j'y trouve… des reçus. Des piles et des piles de reçus, soigneusement mis en liasses et retenus par des trombones. D'abord, je me dis que je trouverai peut-être quelque chose d'intéressant, comme l'existence d'une maison à Bali ou des transactions embarrassantes, mais celles-ci semblent toutes reliées à son travail : photocopies, repas, et un cours intitulé : Votre entreprise est-elle en bonne santé?

La boîte à chaussures suivante est un peu plus intéressante; j'y découvre des coupures de journaux qui parlent du gymnase de Doug et des cartes d'anciens clients. J'en lis quelques-unes, mais ça devient vite ennuyeux. Doug doit être très compétent; sinon, pourquoi enverrait-on une carte de Noël à son entraîneur personnel? Je n'en ai même pas lu la moitié lorsque je mets la boîte de côté pour passer à la suivante. Je ne sais pas quel genre de faille je m'attendais à trouver là-dedans. Les gens n'ont pourtant pas l'habitude de conserver les lettres d'injures. Jusqu'à maintenant, je n'ai rien trouvé d'intéressant, encore moins de compromettant. C'est décevant. Doug est un gars bien ordinaire qui aime la mise en forme et les céréales, et qui laisse son chien dormir sur son lit. Il n'a pas de squelettes dans le placard, seulement des boîtes et des boîtes de reçus et de plans d'affaires. Je remets les boîtes à leur place et promène mon regard sur la chambre.

Le seul autre endroit où je pourrais regarder, c'est sous le lit. Je continuerais bien mon inspection, mais le bruit de la porte à moustiquaire qui se referme en claquant me prend au dépourvu.

Je reste figée, tendant l'oreille pour entendre une voix ou des bruits de pas, mais le coup de sang dans mes oreilles me rend sourde. Je suis submergée d'une honte vive et profonde alors que j'imagine Doug entrant dans sa chambre et me découvrant assise sur le plancher à fouiller dans ses affaires personnelles. Osant à peine respirer, je me lève et avance à petits pas silencieux vers la porte. Il n'y a aucun signe de vie dans le couloir. Si une personne était entrée, elle aurait sûrement déjà dit quelque chose, non?

Et soudain, je comprends ce qui se passe. Je suis là à m'inquiéter que quelqu'un soit entré, alors que je devrais plutôt me demander si quelqu'un (ou plutôt quelque chose) ne serait pas sorti. Et j'ai nommé… Suzy!

Affolement

Naturellement, Suzy est introuvable.

— Suzy? Suzy? Viens ici, fille!

J'ouvre brusquement la porte, mais Suzy a filé depuis longtemps déjà.

— Suzy? Es-tu dans la cour?

J'entre dans la cour arrière par le portail et marche à pas de loup dans le périmètre qui nous concerne, inspectant les buissons et l'arrière du cabanon en faisant des petits bruits d'encouragement comme j'ai entendu d'autres gens en faire lorsqu'ils appelaient leur animal. Il commence à faire noir, et mon cœur bondit chaque fois que je vois une ombre de la taille d'un chien.

— Suzy?

Mais elle demeure introuvable. Aucune empreinte de patte, aucun jappement, rien. Un véritable sentiment de panique s'empare de moi, et je sors de la cour arrière comme un bolide et me précipite dans la rue.

— Suzy? SUZY!

— C'est après le chien de Doug que tu cries?

Je me retourne vivement et aperçois un vieil homme penché sur la clôture; il me dévisage intensément.

— Oui, dis-je, hors d'haleine. Je suis venue la nourrir et elle est sortie.

Le vieil homme ricane.

— Ouais. Elle aime courir celle-là.

Je résiste à l'envie de crier ou de m'arracher les cheveux, et tente de parler aussi calmement que la situation le permet.

— Est-ce que vous auriez vu par hasard où elle est allée?

— Non, mais si j'étais toi, j'irais par là. Il y a une maison avec d'affreux nains de jardin dans les plates-bandes, numéro 605 ou 607. C'est là qu'habite Susan Larson.

L'homme indique le bout de la rue, près du cul-de-sac.

— Habituellement, Mme Larson garde son chien, M. Ruffles, attaché dans la cour arrière, et la dernière fois que je l'ai vu, il reniflait sérieusement le derrière de Suzy, si tu vois ce que je veux dire.

Il rigole de plus belle en secouant la tête.

— Bonne chance, ma fille.

Donc, Suzy aime la course *et* les mâles. Merveilleux.

— Merci, dis-je, et je me mets à jogger vers la maison de Mme Larson.

— Suzy! Ici, Suzy!

Il y a de la lumière chez Mme Larson; un chat roux et blanc est assis au bord de la fenêtre en saillie et me fixe. Il cligne lentement des yeux, comme pour exprimer son dégoût. Je ne le blâme pas. Moi aussi, je me dégoûte, à courir comme ça après une stupide boule de poils. Je ne peux pas croire que je n'avais pas bien fermé la porte.

Je patrouille dans les buissons qui longent l'allée chez Mme Larson, mais aucune trace de Suzy. Je me sens mal à l'aise d'entrer dans la cour arrière de quelqu'un (après tout, il y a des limites au nombre de crimes qu'une personne peut commettre dans une journée); je sonne donc chez Mme Larson en espérant de tout cœur que Suzy soit dans la cour en train de flirter avec le pauvre M. Ruffles. « Ruffles » est déjà assez laid comme ça, pourquoi fallait-il en plus l'affubler d'un *Monsieur*? Je parie que c'est un caniche avec l'une de ces coupes ridicules, et que Mme Larson a 80 ans, qu'elle prépare la meilleure croustade aux pommes au monde, et qu'elle porte des chandails molletonnés roses sur lesquels sont imprimées des photos de son chien.

Vous comprendrez donc pourquoi je mets un moment à réagir lorsque Michael Greenblat ouvre la porte.

— Clarissa? Qu'est-ce que tu fais ici?

Je le regarde fixement.

— Clarissa? répète Michael.

Lorsque je retrouve l'usage de la parole, la seule chose qui me vient à l'esprit c'est :

— Tu n'es pas Mme Larson.

Michael m'observe d'un air amusé.

— Non. Tu veux que j'aille la chercher?

— Qu'est-ce que tu fais ici?

Michael sourit.

— Je t'ai posé la question le premier.

— Tu as raison. Je cherche un chien.

— Tu ne m'avais pas dit que tu avais un chien!

— Il n'est pas à moi. C'est le chien de Doug.

— Doug, l'ami de ta mère?

Oh, comme j'aimerais pouvoir le corriger. Mais cette fois, il n'y a pas de doute; il a raison.

— Oui. Elle s'appelle Suzy. Il paraît qu'elle a un œil sur M. Ruffles, alors j'ai voulu vérifier si elle était ici.

Michael rit.

— Oui, Ruffles est un vrai séducteur. Toutes les femelles du parc canin l'adorent.

— Eh bien, elle est sortie, et comme il paraît qu'elle aime courir, je dois la retrouver avant que Doug revienne. Crois-tu qu'on pourrait jeter un coup d'œil au cas où elle serait avec M. Ruffles?

— Désolé, Clarissa, mais M. Ruffles est dans la maison.

Mais on peut toujours vérifier, si tu veux.

Je hausse les épaules, complètement découragée.

— D'accord. Tant qu'à faire.

Michael me tient la porte.

— Viens, on va prendre un raccourci par la maison.

— Tu ne m'as pas toujours pas dit ce que tu fais ici.

— Oh. Mme Larson est une amie de ma grand-mère. Je viens faire un tour une fois par semaine pour lui donner un coup de main dans la maison. Je sors les ordures, je passe l'aspirateur. Parfois j'amène M. Ruffles faire une promenade.

— C'est gentil.

Michael lève les épaules.

— Ce n'est pas grand-chose.

— Au contraire. Je ne connais personne dans notre classe qui en ferait autant, surtout pas les garçons.

— Je suis payé, un peu. C'est un travail. Ce n'est pas comme si j'étais une âme charitable ou un scout.

Michael paraît agacé, comme si mon compliment était une insulte à sa virilité. Je ne comprends rien aux garçons.

— Allons-y.

Michael m'entraîne dans une petite cuisine où le canard est à l'honneur : linges à vaisselle et couvre-théière à motifs de canards, canards de plâtre sur les murs. Puis nous sortons par la porte de derrière et nous retrouvons sur un porche. Après avoir passé quelques minutes dans la maison bien éclairée, je dois patienter un moment avant que mes yeux s'habituent au ciel bleuté de la nuit tombante. Je distingue une vasque pour oiseaux, une niche vide et un bac de recyclage, mais pas de Suzy. Mon cœur se serre. Ça fait au moins dix minutes maintenant. Quelle distance peut parcourir un chien en dix minutes?

— Désolé, Clarissa, dit Michael.

— Qu'est-ce que je vais faire? Je ne connais rien aux chiens. Y a-t-il quelqu'un que je devrais appeler?

Ma voix tremble de façon alarmante. Mon Dieu, faites que je ne pleure pas, pas devant Michael.

— Tu peux appeler la Société protectrice des animaux, mais c'est encore trop tôt. Je suis certain qu'elle est quelque part aux alentours. Es-tu allée au parc?

Je fais non de la tête. Je n'ose pas parler.

— Je t'accompagne. Il faut seulement que j'aille chercher mon blouson.

Sans un mot, je suis Michael dans la cuisine envahie de canards. Je traverse le couloir et sors sur le perron d'en avant. Je m'assois dans les marches et respire à fond pendant que Michael dit au revoir à Mme Larson. Je ne vais pas pleurer. Le ciment du perron est froid, et maintenant que le soleil est couché, le fond de l'air est frais.

— O.K., on y va, dit Michael.

Il a un gros chandail dans les mains.

— Tiens, Mme Larson te le prête. C'est frisquet, ajoute-t-il en me tendant le chandail.

— Merci, j'ai un peu froid, justement.

Le chandail est rose pâle et informe, et sur le devant, l'image de l'étang aux quenouilles où nagent des canards malards a commencé à peler. C'est exactement le genre de chandail que l'on peut s'attendre à voir une femme porter lorsqu'elle appelle son chien M. Ruffles. Bof, et alors? Un vieux chandail laid vaut mieux que pas de chandail du tout. Je l'enfile. Il me va à mi-cuisse, et les manches atteignent le bout de mes doigts. Je croise les bras sur ma poitrine et je suis Michael dans l'obscurité.

— On devrait frapper aux maisons en marchant vers le

parc, au cas où des gens l'auraient vue et fait entrer, suggère Michael.

— Comme tu voudras.

Ainsi, nous nous arrêtons à chaque maison pour demander si quelqu'un aurait vu une petite boule de poils blanche courir à toute vitesse dans le quartier au cours de la dernière demi-heure. Chaque fois, c'est la même réponse :

— Non, désolé. Bonne chance pour la retrouver!

Certains reconnaissent Michael comme le gentil garçon qui vient aider Mme Larson chez elle. Ils compatissent encore davantage.

— Navré, Michael. Tu peux être sûr qu'on va ouvrir l'œil!

— C'est peine perdue, dis-je d'une voix gémissante.

Michael, lui, est déterminé.

— Ne perds pas espoir. Il reste encore le parc. C'est le lieu de prédilection des chiens.

— Puisque tu le dis.

Michael tente de me remonter le moral en m'expliquant en détail ce qu'est l'instinct de retour, m'assurant que même les chiens qui aiment courir comme Suzy savent retrouver leur chemin. Il connaît des tas d'histoires de chiens perdus qui ont fini par rentrer chez eux.

— Par exemple, une famille qui était en vacances en Floride a perdu leur chien. Eh! bien, ce chien s'est pointé devant la porte de leur maison en Oregon deux ans plus tard. Incroyable, non?

Je fronce les sourcils.

— C'est une histoire vraie?

— Tu ne me crois pas? demande Michael.

— Ça ressemble un peu à *Retour au bercail*.

Michael sourit.

— Je parie que *Retour au bercail* est également basé sur un fait vécu. Il existe tout plein de livres racontant des histoires de chiens étonnants.

Je n'ai pas grand-chose à ajouter à ça. Manifestement, Michael n'a jamais rencontré Suzy. Est-ce qu'un de ces animaux étonnants quitterait la chaleur de son foyer où la nourriture abonde pour aller errer dans la nuit froide et noire? Je dois cependant admettre que depuis que Michael a accepté de m'aider à retrouver Suzy, j'ai beaucoup, beaucoup plus chaud.

Astres

— Nous y voilà.

Le parc est en fait la cour de récréation de l'école catholique St-Patrick, ou St-Paddy's comme on dit par ici. Pas de doute, c'est *le* plus beau parc de la ville. Non seulement il est équipé de balançoires et d'un module à grimper traditionnels, mais on y trouve également un jeu de bascule, une glissoire tubulaire, une balançoire à un pneu et le seul tourniquet en ville. Le tout est bordé de grands pins qui le soustraient à la vue des maisons. On a l'impression d'être à l'intérieur d'une forteresse, une forteresse secrète des plus amusantes. C'est beaucoup mieux que la cour d'école de Ferndale, c'est sûr.

J'imagine que les propriétaires de chiens apprécient aussi le fait que la cour soit entourée d'arbres. Ils peuvent donc lâcher leurs chiens sans trop s'inquiéter de déranger les gens qui habitent derrière St-Paddy's. Cependant, il n'y a pas beaucoup de chiens dans le coin à cette heure tardive.

— Vérifions d'abord en bordure de la cour, suggère Michael. Je vais m'occuper du fond pendant que tu commences ici.

Nous nous séparons donc et entamons nos recherches parmi les arbres. Michael siffle tandis que j'appelle Suzy, tapant sur mes cuisses et regrettant de ne pas avoir apporté de gâteries ou autre chose pour l'attirer. J'entends des aboiements à quelques reprises, mais chaque fois il s'agit d'un chien dans une cour non loin de l'école. Mon cœur bondit au moindre jappement, mais ce sont toujours de fausses alertes.

Lorsque nous nous rejoignons au milieu, Michael me sourit avec espoir.

— L'as-tu vue?

— Non, dis-je d'un ton grognon.

Michael fronce les sourcils.

— Nous devons penser comme Suzy. Où irais-tu à sa place?

— Suzy ne pense pas beaucoup.

Je me dirige vers le tourniquet, traînant les pieds dans la poussière, les manches du chandail hideux de Mme Larson pendant presque jusqu'à mes genoux. Le chandail sent la vieille dame et me pique le nez, mais au moins j'ai chaud.

Je me laisse tomber lourdement sur le tourniquet, et celui-ci émet un son métallique qui résonne dans le parc maintenant désert. Michael me rejoint et fait de son mieux pour me remonter le moral.

— Il doit y avoir une chose à laquelle on ne pense pas. Les chiens sont attirés par les récompenses, comme la nourriture ou l'attention.

— Je l'ai nourri dix minutes avant qu'elle se sauve.

— Il y avait peut-être un autre chien, un lapin ou quelque chose qui a capté son attention dehors.

— Peut-être, mais ça change quoi?

— Je ne sais pas, reconnaît Michael. Je réfléchis tout haut, c'est tout.

Je pousse un autre long soupir et m'allonge sur le dos dans ma section du tourniquet. Les étoiles commencent à sortir de leur cachette. J'essaie de repérer l'une des constellations,

215

mais j'ai du mal à me concentrer. Je sais que je devrais être en train de penser à Suzy, et j'y pense; mais je pense aussi à Michael, qui s'est également étendu de l'autre côté du tourniquet. Nos têtes se touchent presque.

— Connais-tu les constellations? demande Michael.

— Pas vraiment, et toi?

— Bien sûr!

Michael se dresse sur un coude et m'indique où regarder.

— Tu vois là? C'est la Grande Ourse. Une fois que tu as identifié celle-là, tu peux trouver toutes les autres.

Michael me raconte l'histoire des différentes constellations, mais je n'écoute pas vraiment, me laissant plutôt bercer par le son de sa voix.

— Quel est ton signe astrologique? demande-t-il.

— Pourquoi? Tu crois à l'astrologie?

— Non, répond Michael d'un ton indigné. Je voulais simplement te montrer ta constellation.

— Bélier.

— C'est difficile de voir la constellation du Bélier au printemps.

— Comment ça?

— C'est le moment où elle est le plus près du soleil.

— Et toi, quel est ton signe?

Je me sens ridicule à la seconde où j'ai prononcé ces mots. C'est le genre de formules de drague qu'utiliserait Denise.

— Vierge. Elle est plus facile à voir quand il est très tard, vers minuit.

— Je serai probablement rentrée à cette heure-là.

— Oui, moi aussi, dit Michael.

Il paraît déçu.

Pendant un moment, je me demande s'il va se lever et annoncer qu'il est temps de partir. Moi, je ne veux pas rentrer tout de suite, et pas seulement parce que je sais qu'une mort subite m'attend peut-être chez moi. Il faut que j'essaie de gagner du temps.

— Comment as-tu appris à repérer les constellations?

— J'ai un télescope et des bouquins chez moi.

— Chouette.

Michael se retourne et me regarde droit dans les yeux, comme s'il ne me croyait pas.

— Vraiment?

— Vraiment, dis-je, un peu vexée. J'aime l'astronomie. J'ai même des étoiles qui brillent dans le noir sur le plafond de ma chambre.

Je ne précise pas qu'elles ne brillent plus depuis un moment.

Michael sourit, et j'ai l'impression d'avoir avalé toute une boîte de Pop Rocks qui explosent partout dans mon corps. Je crois que je serais heureuse pendant toute ma vie si seulement il continuait à me sourire comme ça. Oh! comme j'aimerais porter autre chose qu'un chandail de vieille dame à motifs de canards qui empeste la poudre pour bébé.

— Est-ce qu'il t'arrive de lire l'horoscope dans le journal? dis-je.

— De temps en temps, par curiosité.

— Moi aussi. Parfois, leurs prédictions sont assez justes.

— C'est plutôt bizarre.

— Oui, c'est vrai. Quelle heure est-il?

Michael jette un coup d'œil sur sa montre.

— Presque 21 heures, répond-il. Il faut que je rentre.

— Moi aussi, dis-je en soupirant.

— Tu veux que je vienne avec toi? demande Michael.

Je le voudrais bien, mais rien ne l'oblige à assister à la confrontation qui, je n'en doute pas, m'attendra au retour.

— Non, ça ira.

— Je te raccompagne, dit Michael.

Alléluia

Nous vérifions chez Doug une dernière fois avant de retourner chez moi, au cas où Suzy aurait décidé de rentrer. Ç'aurait été trop beau. Au moins, cette fois, je me rappelle avoir fermé à clé derrière moi. J'ai déjà perdu le chien de Doug. Il ne faudrait surtout pas qu'il se fasse cambrioler en plus.

— Le vieil homme a dit qu'elle aimait courir, n'est-ce pas? demande Michael.

— Oui.

— Elle doit se sauver souvent. Doug a probablement l'habitude.

— Peut-être, dis-je d'un ton peu convaincu.

— Elle a une médaille d'identité, alors si la fourrière la retrouve, le personnel pourra contacter Doug. S'il fallait que le pire arrive et qu'elle se fasse frapper par une voiture, ce ne serait pas ta faute. Tu n'y peux rien; c'est dans la nature du chien de s'enfuir. Et ce n'est pas comme si c'était toi qui conduisais la voiture.

Même durant mes pires moments de découragement, je n'ai jamais imaginé que Suzy pourrait se faire frapper par une voiture. Je commence à avoir la tête qui tourne. Je sais que Michael essaie de me rassurer, mais ça ne fonctionne pas. Je me sens un peu étourdie. Je suis allée dans la chambre de Doug, et la seule photo qui s'y trouve, c'est celle de Suzy. Si jamais elle meurt alors qu'elle était sous ma surveillance, il ne me le pardonnera probablement jamais. Ma mère non plus.

Désespérée, je songe à m'enfuir aussi. Tout le monde se ferait alors un tel souci pour moi que personne ne penserait au chien. Dans le meilleur des mondes, je passerais la nuit à chercher Suzy et je surgirais sur le pas de la porte, en mauvais état, mais en vie, avec la chienne dans les bras. J'irais même jusqu'à prétendre que c'est elle qui m'a trouvée et ramenée à la maison. Suzy serait l'héroïne, je serais en vie, et tout le monde serait heureux. Bien sûr, ce plan comporte quelques failles. Quiconque a passé un peu de temps avec Suzy la croira incapable de secourir qui que ce soit. C'est à peine si elle comprend « va chercher ».

— Ils sont rentrés, à ce que je vois, dit Michael.

Il y a de la lumière dans la cuisine, et la petite voiture sport de Doug est garée dans l'allée. Il est temps de braver la tempête.

— Es-tu certaine que tu ne veux pas que j'entre avec toi? demande Michael de nouveau.

— Ce serait bien d'avoir un témoin si l'un d'eux tente de me tuer.

Michael paraît mal à l'aise.

— Je plaisante. Mais si tu es certain que tu as assez de temps...

Michael secoue la tête.

— J'ai encore du temps. Viens. Autant en finir tout de suite.

Le trajet du trottoir à la porte est incroyablement court. Je jette un regard chez Benji, mais la maison est plongée dans l'obscurité. Aucun secours ne viendra de ce côté-là.

— Allons-y, dis-je.

Je m'apprête à glisser ma clé dans la serrure lorsque la porte s'ouvre brusquement. Doug est là, bloquant la lumière de son énorme stature.

— Clarissa! Où étais-tu?

Avant que je puisse répondre, il ajoute :

— Allez, entre. Nous t'attendions.

Doug aperçoit Michael et l'invite à entrer aussi.

— Plus on est de fous, plus on rit. On fait la fête ici!

Il rejette la tête en arrière et pousse un retentissant cocorico.

— Est-ce qu'il est toujours comme ça? chuchote Michael à côté de moi.

— Non, dis-je en secouant la tête.

Dans le salon, ma mère et Denise rient en écoutant un vieux disque que je n'ai pas entendu depuis une éternité. J'en oublie aussitôt mes craintes et mon sentiment de culpabilité.

— Qu'est-ce qui se passe?

Doug m'adresse un grand sourire, les yeux brillants. Il a l'air follement heureux. Un peu dérangé, même.

— Quel est le mot de neuf lettres pour décrire le plus beau jour de ta vie!

— Repêchage? propose Michael.

— Non, dis-je. Rémission.

* * *

Le salon est rempli de lumière et de musique. On n'est que cinq, mais on jurerait qu'on est beaucoup plus nombreux. Ma mère n'arrête pas de sortir des albums qu'elle n'a pas écoutés depuis un siècle; elle les fait jouer sur le tourne-disque le temps de quelques chansons seulement, car elle en trouve toujours un nouveau à écouter. Elle arrête le disque au beau milieu d'une chanson et le remplace par un autre. Chaque chanson est le type de succès qu'on entend depuis toujours à la radio; on ne connaît pas le titre, mais on se souvient de toutes les paroles. Même Michael suit le rythme en hochant la tête et chante en chœur avec nous.

Doug sort d'une boîte blanche en carton la moitié d'un gâteau au fromage, restant de son souper avec ma mère; nous attaquons le dessert à la fourchette, ne nous donnant même pas la peine d'aller chercher des assiettes. Je parviens à trouver quelques canettes de racinette pour Michael et moi tandis que les adultes ouvrent la bouteille de vin que ma mère a achetée spécialement pour l'occasion.

Rémission. Je me répète ce mot dans ma tête depuis des mois, et maintenant je peux enfin le dire à voix haute.

— Rémission.

L'expression rêveuse de ma mère s'efface.

— Qu'est-ce que tu as dit?

— Rémission, dis-je un peu plus fort. Rémission, rémission!

Ma mère s'assoit à côté de moi sur le canapé et pose une main ferme sur mon genou.

— Clarissa, le docteur n'a pas dit « rémission ».

Le gâteau au fromage forme une boule compacte dans mon estomac.

— Mais… je croyais… Doug a dit…

Ma mère regarde Doug en fronçant les sourcils. Il a l'air penaud. Je ne l'ai jamais vue lui adresser autre chose qu'un sourire. C'est là que je comprends qu'elle est sérieuse.

— Le docteur a dit qu'actuellement, je n'ai plus de cancer, précise-t-elle. Doug aurait dû être plus clair.

Je ne comprends pas. Comment le fait de ne plus avoir de cancer est-il différent d'une rémission?

— Est-ce que ce n'est pas la même chose?

— Pas exactement.

— Donc tu pourrais retomber malade?

— Je pourrais. Mais ce n'est pas dans mes projets.

Ma mère me fait un clin d'œil.

Juste au moment où je croyais que tout allait bien, un autre nuage se pointe à l'horizon.

— Alors à quoi ça rime tout ça?

Ma mère réfléchit avant de répondre.

— N'importe qui peut tomber malade à tout moment. En ce moment, je suis en santé. Ça me suffit.

Je scrute le visage de ma mère pour y déceler tout signe indiquant qu'elle fait semblant d'être forte par égard pour moi, mais je n'y lis que du soulagement, pur et simple. Elle ne me cache rien, et si le fait de ne plus avoir de cancer lui suffit, alors ça devrait me suffire aussi. On n'est sûr de rien dans la vie, je comprends ça maintenant. On ne sait jamais quand les gens tomberont malades ni quand ils s'offusqueront de quelque chose qu'on a fait. On peut tout faire comme il faut et, malgré tout, les choses iront mal. La vie est pleine de surprises. Mais toutes les surprises ne sont pas mauvaises.

— O.K., dis-je.

Ma mère s'approche et me serre contre elle à m'en broyer les os. À l'autre bout de la pièce, Denise rit et pleure à la fois et renverse son verre partout sur elle et sur le canapé. Mais ma mère est trop excitée pour s'en apercevoir. Elle paraît illuminée de l'intérieur, comme si les flammes d'une centaine de minuscules bougies dansaient sous sa peau. Elle se lève et commence à appeler des gens pour leur apprendre la bonne nouvelle.

— Dites bonsoir, tout le monde! lance-t-elle en brandissant le téléphone devant nous.

— Bonsoir tout le monde! répondons-nous docilement avant d'éclater de rire.

J'ai l'impression que mes joues vont craquer à force de sourire, mais c'est plus fort que moi.

Si quelqu'un passait nous voir en ce moment même, il croirait que nous sommes une bande de cinglés; c'est exactement comme ça que je me sens : cinglée et heureuse. Je m'accroche à ce sentiment aussi longtemps que je le peux; mais bientôt les choses se calment, et je ne peux pas continuer à repousser ma discussion avec Doug. J'ai l'impression d'être accrochée à un ballon gonflé qui se vide rapidement de son air, et qui m'entraînera bientôt dans sa course folle à travers la pièce.

— Qu'est-ce qui ne va pas? demande Michael.

— Je dois lui annoncer la mauvaise nouvelle, dis-je en désignant Doug d'un signe de tête.

Doug est occupé à faire une imitation du serveur snob que lui et ma mère ont eu au restaurant. Denise rit tellement qu'elle s'étrangle de rire. J'espère que le vin ne lui sortira pas des narines.

Michael hoche la tête, l'air grave.

— Pas évident, dit-il d'un ton compatissant. Mais au moins, il est de bonne humeur.

— Oui, dis-je en soupirant.

— Bonne chance.

J'attends qu'il ait terminé son imitation et suis Doug dans la cuisine, où il est allé remplir d'eau fraîche les bacs à glaçons vides.

— Doug, j'ai quelque chose à te dire.

— Tu as l'air bien sérieuse.

J'avale ma salive.

— C'est sérieux.

— Bon, vas-y.

Doug ferme le robinet, dépose les bacs et s'efforce de

prendre un air solennel. Mais je devine, à son regard lointain et au sourire qu'il parvient difficilement à retenir, qu'il pense encore à ma mère et au fait qu'elle est maintenant tirée d'affaire, planifiant probablement le reste de leur vie dans sa tête. Ou peut-être qu'il n'y a que les filles qui font ça.

Je l'entraîne vers la table de cuisine, et nous nous assoyons.

— C'est à propos de Suzy.

— Suzy Q! Comment va ma petite coquine? Est-ce qu'elle t'a donné beaucoup de mal?

J'ai la gorge sèche, mais ma racinette est introuvable.

— Eh bien, je lui ai donné de la nourriture et tout, mais j'ai eu le dos tourné pendant une minute et elle s'est, elle s'est... sauvée. Je ne savais pas qu'elle aimait courir, et je n'ai pas pensé à m'assurer que la porte à moustiquaire était bien fermée.

À mon grand étonnement, Doug se tape les cuisses et rit.

— La petite polissonne! J'aurais dû te mettre en garde, elle ferait n'importe quoi pour sortir de la maison. L'as-tu retrouvée chez les Larson?

— J'y suis allée, mais elle n'y était pas.

J'hésite et jette un coup d'œil à Michael pour me donner du courage. Il est assis sur le bord du canapé, serrant fort sa canette de racinette, et sourit poliment à Denise qui jacasse à propos de je ne sais quoi. Il croise mon regard et me sourit. J'inspire profondément.

— La vérité, c'est que je ne l'ai pas trouvée. Michael et moi, on a regardé partout. Elle a disparu.

Je retiens mon souffle et attends que le couperet tombe.

Doug a l'air songeur.

— Quand est-ce arrivé?

— Vers 19 h 30? Ou 20 heures, peut-être?

Doug consulte sa montre.

— Je te parie qu'elle pleure devant la porte de côté en ce moment même.

— Tu crois?

— J'en suis sûr. Elle ne va jamais bien loin et elle revient toujours.

Doug se lève.

— Je ferais mieux d'aller la faire rentrer.

— Tu n'es pas fâché?

— Bien sûr que non! Si je devais en vouloir à quelqu'un, ce serait à moi. J'aurais dû te prévenir qu'elle essaierait de te fausser compagnie. Tu as dû courir partout pour la retrouver en te rongeant les sangs.

Je hausse les épaules, même si j'ai envie de crier : « Oui, oui, c'est exactement ça! »

— Et si elle n'est pas là?

— Elle sera là, m'assure Doug en me faisant un clin d'œil. Je te parie le dernier morceau de gâteau au fromage et à la framboise.

J'insiste.

— Mais si elle n'est pas là?

— Eh bien, j'appellerai la fourrière demain et imprimerai des tracts avec sa jolie petite frimousse dessus, puis quelqu'un la trouvera et la ramènera. Je ne connais pas grand monde qui supporterait un petit diable de Tasmanie comme elle.

Je ne suis pas convaincue que Doug a bien compris la situation.

— Et si personne ne la ramène?

Doug pose sa main sur mon épaule et me fixe du regard. Quand il commence à parler, sa voix est basse et sérieuse.

— Clarissa, j'ai vécu une expérience extraordinaire avec ta mère aujourd'hui chez le médecin. Parfois on oublie à quel point la vie est un cadeau. Aujourd'hui, on me l'a rappelé. Il y a certaines choses qui valent la peine qu'on s'en inquiète, et d'autres pas. Je suis certain que Suzy est devant la porte à l'instant même et que sa petite queue bat le sol et je vais te le prouver pour que tu cesses de te rendre malade d'inquiétude. Allez! Suis-moi!

— D'accord.

Doug hoche la tête vers Michael, qui a l'air mal à l'aise tandis que Denise examine le lit de ses ongles.

— Va au secours de notre ami Michael. Il peut venir avec nous, puis je le reconduirai chez lui.

Attraction

Je suis trop tendue pour parler durant le trajet jusque chez Doug. J'ai l'impression que non seulement mon estomac, mais également tout le reste, du cou en descendant, est complètement noué. Heureusement, le moral de Doug est toujours excellent, et il conduit avec un bras sorti par la vitre baissée, chantant avec la radio même s'il ne connaît pas les paroles. Assis du côté du passager, Michael rit, et Doug en fait bientôt autant. Les hommes! C'est comme s'ils ne se rendaient pas compte que je suis à l'agonie sur la banquette arrière.

Lorsque nous tournons et que les phares balaient l'allée, j'aperçois quelque chose de blanc devant la porte sur le côté. Une fois que la chose commence à japper et à tourner en rond, il ne fait plus aucun doute que c'est Suzy. Je suis tellement soulagée que j'ai l'impression de fondre sur mon siège.

Doug me fait un grand sourire.

— On dirait bien que tu me dois un morceau de gâteau au fromage.

Je réussis à descendre de la voiture et à les suivre, Michael et lui, jusqu'à la maison.

— Viens ici, toi, petite peste!

Débordante d'amour, Suzy se jette sur Doug qui la prend dans ses bras et la laisse lui attaquer le visage à grands coups de langue. Beurk!

— Tu es une vilaine fille, Suzy Q. On ne fausse pas

compagnie à Clarissa comme ça! Vilaine, vilaine fille.

Mais il rit en disant ça, et Suzy est tellement occupée à japper et à lécher le visage de Doug en même temps, que je doute qu'elle réalise qu'elle se fait réprimander.

— Je fais rentrer cette petite coquine et je te reconduis tout de suite chez toi, Michael.

Doug disparaît dans la maison tandis que Suzy zigzague entre ses jambes en continuant de japper comme une possédée. Michael et moi sommes seuls dans l'allée. Je suis tellement soulagée que j'en ai le vertige.

— Quelle soirée! s'exclame Michael.

— Ça, tu peux le dire.

— Mais c'était cool, aussi.

— Très cool, oui.

Un frisson me parcourt l'échine jusqu'au bout des orteils. Lorsque je me croise les bras sur la poitrine, je constate que je porte toujours l'affreux chandail de Mme Larson.

— Il faudrait bien que je te redonne ça pour que tu puisses le rendre à Mme Larson.

J'enlève le chandail et le tends à Michael. Le chandail était chaud, et ma peau proteste aussitôt contre l'air frais en se couvrant de chair de poule.

— Merci de me l'avoir prêté.

— Pas de problème.

Michael se tient juste devant moi, le chandail rose de Mme Larson, maintenant à l'envers, formant une boule entre ses mains. Sa frange a besoin d'être coupée et lui tombe constamment devant les yeux. Il a l'air un peu dépassé, ce qui n'a rien de surprenant. Quand on n'est pas habitués aux Delaney, ça peut être assez épuisant. N'empêche qu'il m'a aidée à chercher Suzy, qu'il a patiemment écouté les remontrances de Denise au sujet des soins des cuticules. De plus, il a été témoin d'une des soirées les plus importantes de ma vie. Peut-être que c'est pour cela ou parce que je suis si soulagée qu'on ait retrouvé Suzy ou parce que je viens d'apprendre que ma mère n'a plus le cancer ou peut-être est-ce une puissante combinaison de ces trois raisons, mais là, en ce moment même, je suis submergée d'une émotion qui ressemble à de l'amour pour le merveilleux, le fiable, le séduisant Michael Greenblat.

Et donc, je réduis la distance qui nous sépare et l'embrasse. Juste là, dans l'allée, chez Doug. Nos nez se touchent et je ne sais pas où mettre mes mains, mais ça ne fait rien, car nous nous embrassons, et c'est doux et chaud et ça goûte la racinette. Le chandail de Mme Larson est écrasé entre nous deux; autrement, j'aurais entouré Michael de mes bras; j'aimerais sentir son dos et enfouir mes mains dans ses cheveux pour voir s'ils sont aussi doux qu'ils en ont l'air. Une seconde ou peut-être une année passe, et je m'écarte de peur d'oublier de respirer. Michael a toujours les yeux fermés, et il est aussi rouge que je le suis sûrement.

La porte à moustiquaire grince puis claque, et tout à coup, Doug réapparaît.

— O.K., Michael, allons-y.

Le charme est rompu. En silence, Michael et moi marchons comme sur un nuage vers la voiture et montons, moi à l'avant, lui à l'arrière. Je ne prononce pas un seul mot jusque chez Michael. Si je parle, j'ai peur de perdre la sensation du baiser sur mes lèvres qui picotent encore.

Michael indique le chemin à Doug et, au moment de descendre de la voiture, le remercie de l'avoir raccompagné.

— *No problemo*, Michael! Merci d'avoir aidé Clarissa à chercher Suzy.

Michael rougit en entendant mon prénom.

— Pas de problème, dit-il à son tour en me fixant droit dans les yeux.

Je le regarde marcher jusqu'à la porte. Il jette un coup d'œil par-dessus son épaule et, d'un geste maladroit, lève la main pour nous saluer. Je détourne les yeux; la magie s'estompe un peu tandis qu'un malaise s'installe. Est-ce que quelqu'un nous a vus? Doug est-il au courant? Ai-je été trop entreprenante? Michael trouve-t-il que j'embrasse bien? Je m'efforce de chasser toute mauvaise pensée de mon esprit et me concentre sur le souvenir du baiser qui s'embrouille déjà. Pourquoi est-ce si difficile de se rappeler les bons moments?

Doug soupire.

— Si tu savais, Clarissa, je suis crevé. Ce fut une journée mémorable.

Il ne croit pas si bien dire.

Annonce

Ce n'est que plus tard, une fois couchée, que je me rends compte que Benji n'est pas au courant. J'ai été si inquiète, puis si surprise, si heureuse et, enfin, si occupée *à embrasser* Michael que je n'ai pas pensé à l'appeler avant maintenant.

Je me glisse hors du lit et marche sur la pointe des pieds jusqu'à la cuisine, où je prends le téléphone pour l'apporter dans mon lit. Ce n'est pas le genre de nouvelles qui peut attendre au lendemain. Je disparais sous les draps et compose le numéro que je connais par cœur depuis aussi longtemps que je me souvienne, priant pour que ce ne soit pas le Dentonateur qui réponde.

— Allô?

Elle est peut-être endormie, mais je reconnaîtrais la voix de Benji n'importe où.

— Je t'ai réveillé?

— Clarissa?

— Évidemment.

— Il est très tard.

— Je sais, mais il fallait absolument que je t'annonce la nouvelle.

— Quelle nouvelle?

Je marque une pause pour faire de l'effet.

— C'est officiel : ma mère n'a plus le cancer.

— Plus le cancer? Pour de vrai?

— Pour de vrai.

— Je n'arrive pas à le croire.

— Crois-le.

— C'est trop beau pour être vrai. Je vais me réveiller demain et penser que tout ça n'était qu'un rêve.

— Depuis quand as-tu des conversations dans ton sommeil?

— Ça ne m'est jamais arrivé, admet-il.

— Tu devrais peut-être l'écrire. « Annie Delaney n'a plus le cancer. »

J'adore le dire tout haut.

— Mais j'aurais pu écrire ça dans mon sommeil.

— Tu pourrais ajouter : « Ceci n'est pas un rêve. » Je ne pense pas qu'un somnambule écrirait ce genre de choses.

— Je ne trouve pas de stylo.

— Tu ne penseras pas que c'était un rêve, Benji. Mais si c'est le cas, tu peux m'appeler en te levant et je te le redirai.

— Même s'il est tôt?

— Même s'il est tôt.

— Je suis tellement soulagé.

— Moi aussi.

— Soulagé… le mot n'est pas assez fort pour expliquer ce que je ressens.

— Je sais. C'est la même chose pour moi.

Nous restons silencieux. Je ne sais pas à quoi pense Benji; peut-être qu'il s'est rendormi. Mais quand je pense à tous les mots que je connais, je n'en trouve pas un seul pour exprimer comment je me sens en ce moment. Pendant une seconde, je songe à lui dire à propos du baiser, mais je ne suis pas encore prête. Je veux garder ça pour moi, ne serait-ce qu'une nuit.

— Tu es réveillé?

— Je crois.

— Je te laisse te rendormir. Il fallait seulement que je te

le dise.

— Je suis content que tu m'aies appelé. Je suis tellement heureux pour toi et ta mère.

— Merci.

— Bonne nuit, Clarissa.

— Bonne nuit, Benji.

Cette journée riche en émotions m'a épuisée. Je ne peux m'imaginer retourner à la cuisine pour replacer le téléphone sur son support. J'ai l'intention de le déposer sur ma table de nuit, mais je succombe au sommeil et m'endors avec l'appareil coincé sous le bras.

Et cette nuit-là, je dors du sommeil le plus tranquille qui soit depuis un an.

Aimable

Le lendemain matin, Doug est assis à la table de cuisine et mange des céréales en lisant le journal. Il est 9 heures. Est-ce que ça veut dire qu'il a passé la nuit ici ou est-il arrivé ce matin? Je ne suis pas certaine de vouloir connaître la réponse à cette question. Une chose est sûre : je suis contente d'avoir troqué mon pyjama à motifs de pingouins pour de vrais vêtements. Je m'éclaircis la voix.

Doug lève les yeux et me salue d'un sourire engageant auquel il est très difficile de résister.

— C'est un matin splendide, n'est-ce pas?

Il agite la boîte de céréales.

— Froot Loops?

Je prends un bol dans l'armoire et tire la chaise en face de Doug. Les sourcils froncés, il fixe ses mots croisés, ce qui me donne la chance de l'examiner discrètement. Il flotte dans l'air une vague odeur de crème à raser, mais ce n'est pas celle au parfum de framboise de ma mère. L'odeur est plus piquante, plus nette; elle vient de Doug, qui a l'air fraîchement rasé. De plus, ses cheveux sont encore humides en bordure de son visage. Est-ce qu'il a pris une douche ici ou chez lui?

— Je n'aurais pas pensé qu'un maniaque de la saine alimentation comme toi mangeait des Froot Loops, dis-je d'un ton léger.

— Parfois, la tentation est trop forte, dit Doug. De plus, j'adhère à la philosophie du 85 %.

— Qu'est-ce que c'est?

— Je mange bien 85 % du temps. Comme ça, j'ai le droit de tricher à l'occasion.

— C'est ce que tu enseignes à tes clients? De ne fournir que 85 % d'effort dans tout ce qu'ils font?

— Oui et non. Oui, je recommande à mes clients de manger sainement 85 % du temps, mais je m'attends à ce qu'ils se donnent à 100 %, rien de moins.

— Ça paraît contradictoire.

Doug me fait un clin d'œil.

— Heureusement que tu n'es pas ma cliente. Je crois que tu m'en ferais voir de toutes les couleurs.

Nous restons silencieux, concentrés sur nos déjeuners. On n'entend que le craquement des céréales, le bruit de la cuillère grattant le bol et le tapotement du stylo de Doug contre la table. De temps en temps, Doug fredonne un air, et son stylo devient alors une baguette de tambour suivant le rythme que seul Doug peut entendre. Je n'en peux plus de ne pas savoir.

— Où est ma mère?

— Elle est encore couchée. J'ai décidé de la laisser dormir un peu.

Constatant que je ne dis rien, Doug lève les yeux à nouveau.

— J'arrive d'une séance d'entraînement pour lève-tôt au gym, explique-t-il. Je lui ai apporté un frappé aux fruits.

Les bandes élastiques qui me comprimaient la poitrine se détendent, et je sens que je peux respirer normalement à nouveau.

— Oh, c'est très aimable à toi, dis-je d'une voix faible.

Doug sourit.

— Je suis un gars aimable. Je t'aurais bien apporté

quelque chose, mais je ne sais pas ce que tu aimes.

— Ça ne fait rien.

— Dis donc, tu peux me donner un coup de main? demande Doug. Je suis coincé.

— Sur quoi?

— Vingt-trois, vertical. Un mot de huit lettres pour « ami ».

— Camarade?

— Non, déjà essayé.

— Collègue?

— Bien pensé, mais non.

— Complice?

Un grand sourire éclaire le visage de Doug.

— Bingo! Je savais que je pouvais compter sur toi.

Il exécute un petit roulement de tambour sur le papier et frappe une cymbale imaginaire au-dessus de ma tête.

— Pour le frappé aux fruits… Je te signale que ma saveur préférée est fraise; fraise seulement, pas de banane.

Doug me fait un clin d'œil.

— C'est noté.

Andrew

— Si tu y vas avec Michael, est-ce que je devrais appeler Andrew?

— Je n'y vais pas *avec* Michael; on y va tous ensemble.

Mattie roule les yeux.

— Je sais, mais tout le monde est en couple. Michael et toi, ta mère et Doug…

— Denise n'est pas en couple. On ne sera pas assis avec eux, de toute façon. Tu imagines?

Je n'ajoute rien et laisse à Mattie le soin d'imaginer Denise et Doug assistant à la pièce, riant, se tapant les cuisses et sifflant comme s'ils étaient à un match de baseball ou au rodéo.

Mattie soupire.

— Très bien. Mais Andrew est mignon, n'est-ce pas?

— Je ne sais pas, dis-je en haussant les épaules. Je n'ai jamais remarqué.

— Eh bien, fais un effort! Je sais que tu n'as d'yeux que pour Michael, mais pour une fois, pour moi, regarde Andrew Kane et dis-moi si tu le trouves beau.

Andrew Kane est le nouveau béguin de Mattie. Il est plutôt tranquille, très bon en maths et a une tignasse rousse.

— On dirait l'un des frères Weasley, dis-je.

— Moi, j'aime bien la couleur de ses cheveux. Ça le distingue des autres.

— Je n'ai pas dit que je n'aimais pas ses cheveux.

— Clarissa, sois sérieuse! supplie Mattie.

— Je ne sais pas grand-chose à son sujet. Il ne parle pas beaucoup.

— Je sais, c'est un homme mystérieux! glapit Mattie. De plus, jamais il ne fréquenterait Josh ou les autres gars du parc de planche à roulettes. Je ne peux pas croire que j'ai déjà aimé Josh. Ou Declan! Oh, je t'en prie, ne raconte ça à personne, j'ai tellement honte.

Mattie secoue la tête, comme si elle pouvait se débarrasser physiquement des trois semaines où elle a eu un faible pour Declan.

— Crois-tu qu'Andrew est le genre de gars qui aime aller au théâtre?

— Ce n'est qu'un spectacle communautaire; ce n'est pas comme si tu l'emmenais à l'opéra.

— Michael pourrait lui en parler! Ce serait alors comme une sortie de groupe, ce qui est beaucoup moins intimidant. Et au spectacle, tu pourras t'asseoir avec Michael, et moi avec Andrew...

Tout va trop vite pour moi dans la tête de Mattie. Tandis qu'elle élabore son plan, je laisse mon regard errer. Il se pose inévitablement sur Michael, assis avec des gars de son équipe de basket et riant comme si rien ne s'était passé.

Je le supplie intérieurement de me regarder. Quatre jours ont passé depuis cette soirée dans l'allée chez Doug, et nous ne nous sommes pas reparlé. J'ai pensé lui téléphoner, mais n'est-ce pas à lui de le faire? C'est *moi* qui l'ai embrassé, après tout.

— Allô? La Terre appelle Clarissa.

Mattie agite la main devant mes yeux.

— Oui, tu devrais vraiment inviter Andrew, dis-je.

— Je sais, je t'ai déjà dit que je le ferais, lance-t-elle d'un ton exaspéré. Je savais que tu ne m'écoutais pas. Tu penses encore à Michael, ça se voit. Quand tu fais cette tête-là…

— Quelle tête? Je ne fais aucune tête en particulier.

— Oui, insiste Mattie.

Puis son expression s'adoucit.

— Il ne t'a toujours pas appelée?

— Non.

— Les gars!

Je croyais qu'on avait épuisé le sujet du baiser quand je lui ai tout raconté il y a quelques jours, mais Mattie défend toujours ses théories.

— Peut-être qu'il attend que tu l'appelles. Après tout, c'est toi l'agresseur…

— L'agresseur? Je ne l'ai quand même pas *forcé* à m'embrasser!

— Bien sûr que non! Ce que j'ai voulu dire, c'est que c'est toi qui as été courageuse. Ce n'est pas une mauvaise chose, mais puisque c'est toi qui as pris les devants, il s'attend peut-être à ce que tu continues.

— Ce n'est pas toi qui disais : « La balle est dans son camp »?

— Je ne sais plus, dit Mattie en haussant les épaules. Il croit peut-être que c'est trop tôt pour se manifester?

— Ça fait quatre jours!

— Je le sais, et toi aussi tu le sais. Mais Michael est un gars. On ne peut jamais vraiment savoir ce qu'il pense.

Je m'étrangle de rire.

— C'est rassurant.

Mattie prend un air rêveur.

— Au moins, il t'a embrassée.

— Correction : *je* l'ai embrassé.

Nous continuons à manger notre repas en silence. Je suis très agitée, au point que j'ai du mal à rester assise sans bouger. Qu'est-ce qui m'arrive? Avant, j'étais une personne normale capable d'avoir une conversation normale, alors que maintenant, je ne pense qu'à Michael et à la raison de son silence. Si c'est ça l'amour, ça ne m'intéresse pas. C'est tellement plus facile de n'aimer personne.

— Désolé d'être en retard.

Benji surgit à notre table et glisse son plateau à côté du mien.

— L'heure du dîner est presque terminée, dis-je. Où étais-tu?

— J'avais un essayage de costume. Attendez de voir la parure que je vais porter. C'est une troupe de théâtre de Toronto qui nous l'a loué. Les boucles ont été fabriquées à partir de vrais cheveux.

Mattie applaudit.

— C'est tellement excitant, je meurs d'impatience de voir ça! Plus que trois dodos!

— De vrais cheveux? Ça ne fait pas un peu macabre? dis-je.

— Les perruques aussi sont faites avec de vrais cheveux, souligne Benji.

Son regard se pose tour à tour sur Mattie et sur moi.

— Bon, qu'est-ce que j'ai manqué? De quoi parliez-vous?

— D'Andrew Kane, dis-je rapidement avant que Mattie puisse répondre. Mattie le trouve mignon.

— Mais il ne dit jamais rien, fait remarquer Benji.

— Et alors? Il est peut-être plongé dans de profondes pensées. C'est probablement l'élève le plus brillant de notre classe, réplique Mattie.

— Elle songe à l'inviter à venir voir ton spectacle avec nous, dis-je.

Mattie se lance dans la liste des raisons qui font qu'elle préfère Andrew Kane à Josh. Elle ne mentionne pas Declan. Je suis contente qu'elle m'ait comprise à demi-mot. Je n'ai encore rien dit à Benji au sujet du baiser, en partie parce que je ne veux rien dire ni faire qui pourrait le distraire avant la première de son spectacle (il est déjà assez stressé comme ça), et en partie parce que je ne sais pas trop comment aborder la question. Ça créera peut-être un certain malaise entre nous.

— Tu devrais vraiment l'inviter, dit Benji. Fais-le maintenant!

Nous pivotons tous sur nos chaises pour regarder Andrew; il est assis à la table de coin et mange son repas, un livre ouvert à côté de lui.

— Qu'est-ce qu'il lit, d'après vous? demande Benji.

— C'est un gros livre, en tout cas, observe Mattie. Je parie que c'est quelque chose de sombre, de troublant et de sérieux.

— C'est probablement son manuel de maths, dis-je.

Benji glousse.

— Comment comptes-tu t'y prendre pour l'inviter?

Mattie fronce les sourcils.

— Je ne sais pas encore.

— Tu devrais lui envoyer une note, dis-je. « Toi plus moi plus *Le magicien d'Oz* égalent un rendez-vous plein de passion. »

Benji s'esclaffe et Mattie me donne une tape sur le bras en poussant de petits cris et j'ajoute :

— Tu pourrais simplement lui donner ton numéro. On sait qu'il est doué pour les chiffres.

— Tu es vraiment méchante, déclare Mattie, mais elle sourit en disant ça.

— Tu y vas avec Michael? demande Benji.

J'arrête de rire.

— Il va s'asseoir avec nous, si c'est ce que tu veux dire.

J'ai beau essayer, je ne peux m'empêcher de prendre un ton railleur.

— *Avec* est un mot tellement vague, dit Mattie d'un ton songeur.

Le regard de Benji se pose sur moi, sur Mattie, puis de nouveau sur moi. Son front se plisse, mais il n'ajoute rien. Je vois bien qu'il est blessé. Il sait qu'il se passe autre chose que ce que Mattie et moi voulons bien lui dire et que nous ne le gardons à l'écart de quelque chose. Des remords s'emparent de moi au point d'en avoir la nausée. Je sais ce que c'est que de se sentir rejeté. Pendant un moment, je songe à tout lui raconter. Mais il faudrait alors que j'admette que je ne lui ai rien dit au sujet du baiser de vendredi soir, et je ne veux pas ouvrir cette boîte de Pandore, surtout pas à quelques jours de la première de son spectacle.

Je pousse Mattie du coude.

— Allez, va inviter Andrew. L'heure du dîner est presque terminée.

— Et alors? demande-t-elle d'une voix aiguë.

Je lui pose un ultimatum :

— Tu as jusqu'à la fin de la journée pour l'inviter, sinon je le fais moi-même.

Mattie se renfrogne. J'imagine qu'elle a encore frais à la mémoire l'incident « seulement si Josh joue ». Elle pousse un long soupir.

— Très bien. Mais je l'invite à titre d'ami seulement. Avec un garçon aussi timide qu'Andrew, il faut y aller doucement. Je ne veux pas le faire fuir.

— Tu sais, ce serait sûrement avantageux pour nous tous

si tu sortais avec Andrew. Imagine les notes de maths qu'on aurait!

Mattie grogne et tente de me taper de nouveau, mais je suis trop rapide pour elle et me baisse juste à temps pour l'éviter. J'avoue que c'était plutôt douteux comme blague, mais ce sont celles que Benji préfère. Comme je m'y attendais, il sourit, mais ce n'est pas suffisant pour faire disparaître le sentiment de culpabilité qui me ronge.

* * *

Jour six. Après deux jours de silence téléphonique complet et absolu, la sonnerie se fait entendre. Je cours répondre, espérant entendre la voix de Michael à l'autre bout du fil.

— Allô?

— Clarissa! Justement la personne à qui je voulais parler! C'est Doug. Je me demandais… est-ce qu'il faut s'habiller chic pour ce spectacle?

— Je ne crois pas que ce soit important.

— Qu'est-ce que tu vas porter?

— Je n'y ai pas encore pensé, dis-je en toute franchise.

Ça dépend si Michael vient ou non. Mattie croit que je devrais porter des jupes plus souvent, mais si je dois m'infliger cette torture, il faudra que ce soit pour une bonne raison. Je crois que la présence de Michael est une raison suffisante.

— Tu ferais mieux de me passer ta mère. Je vais voir ce qu'elle porte et je déciderai après.

— Ce n'est pas un bal des finissants, Doug.

— Passe-la-moi quand même. Je n'ai pas entendu sa voix suave de toute la journée.

Pfft.

Ma mère et Doug bavardent pendant ce qui me paraît

une éternité, mais en réalité leur appel n'a duré que sept minutes. Je le sais, parce que je regarde constamment l'heure sur l'horloge du lecteur de DVD. Ce serait bien ma chance que Michael appelle pendant que ma mère est au téléphone. Une fois que leurs tendres épanchements sont terminés, je garde le téléphone à côté de moi en regardant la télévision. Comme ça, je serai la première à décrocher s'il sonne encore une fois. Et effectivement, il sonne.

— Allô?

— Minipop? C'est toi?

— Bonjour, Janine.

— Je viens d'apprendre la nouvelle! Tu dois être tellement excitée! Tu sais, je prie pour ta maman tous les soirs. J'ai demandé à Gary, mon mari, à Sandy, mon amie, à son mari, Éric, à Jen, du bureau, à mon prêtre et à un tas d'autres personnes de ne pas oublier ta maman dans leurs prières. Et regarde le résultat! Même quand on n'est pas très religieux, on ne peut pas nier le pouvoir de la pensée positive.

— Je suppose que non. Merci, Janine.

— Est-ce que ta mère est là? J'aimerais bien lui parler aussi.

— Je crois qu'elle est avec une cliente, dis-je, même si ce n'est pas le cas. Est-ce qu'elle peut vous rappeler?

— Bien sûr, Minipop! Je suis tellement contente pour vous deux!

Je raccroche en espérant qu'un pieux mensonge ne viendra pas annuler toute l'énergie positive que Janine et compagnie nous ont envoyée. Peut-être que c'est de la foutaise, tout ça, mais dans ce cas toute méthode de guérison est la bienvenue.

Lorsque le téléphone sonne de nouveau, je me dis que ça

y est. La troisième fois sera la bonne.

— Allô?

— Allô, est-ce que je peux parler à Clarissa s'il vous plaît?

— Mattie, je ne peux pas te parler, dis-je sèchement.

— Pourquoi pas?

— Parce que j'attends un appel.

— De Michael?

Je me hérisse en décelant de la pitié dans la voix de Mattie.

— Non!

— Non?

— Enfin... peut-être.

— Ne t'en fais pas, Clarissa. Tu n'as pas à être gênée. Je ferais la même chose à ta place.

— On peut se rappeler plus tard?

— Bien sûr! Appelle-moi à la seconde où tu raccroches avec Michael.

— D'accord.

— Promis?

— J'ai dit que c'était d'accord, Mattie.

— Je vais t'envoyer des ondes positives! À plus!

Mais en fin de compte, je n'appellerai pas Mattie. Pourquoi le ferais-je puisqu'il n'y a rien à raconter? Après tous ces appels, le téléphone demeure silencieux tout le reste de la soirée.

Attente

— Ce que c'est excitant! Je ne peux pas imaginer cette petite chose timide en train de chanter et de danser devant tous ces gens! dit Denise.

Ça ne fait pas cinq minutes que nous sommes arrivés, et déjà elle me tape sur les nerfs.

Mattie n'est guère mieux.

— Je sais! C'est à peine s'il arrive à lever la main en classe! C'est comme s'il allait se métamorphoser sous nos yeux!

Je scrute la foule du regard pour repérer Michael, qui a dit qu'il nous rejoindrait ici. J'ai les bras chargés de fleurs, d'une carte de félicitations que j'ai fabriquée moi-même et de la trame sonore d'une comédie musicale intitulée *Wicked*, enveloppée avec la section des bandes dessinées du journal d'hier. Je ne connaissais pas *Wicked* avant, mais Charity en a parlé à Benji pour qui, depuis des semaines, c'est devenu une obsession. Le CD était introuvable, alors Doug m'a aidée à le commander en ligne.

Tout le monde s'est mis sur son trente-et-un pour l'occasion, même Doug. Il a fini par dénicher une belle chemise et une cravate. Ma mère le taquine en faisant mine d'ajuster sa cravate et en lui disant qu'il est beau.

— Je devrais porter une cravate plus souvent, plaisante Doug.

Je me rappelle avoir vu la cravate le jour où j'ai fouillé dans sa penderie, mais je ne dis rien.

Ma mère porte un pendentif orné d'une perle suspendue par une chaînette. C'est un cadeau de Doug. Les bijoux, ce n'est pas tellement mon truc, mais je dois avouer que celui-ci est joli. On dirait une goutte de pluie blanche et lustrée.

— Ça alors! chuchote Mattie. Combien crois-tu qu'il coûte, ce collier?

— Ce n'est pas comme si c'était une bague, dis-je en roulant les yeux.

Mattie a les yeux brillants.

— S'ils se marient, vas-tu m'inviter au mariage?

— Où est Michael? demande ma mère.

Je hausse les épaules, mais évite de la regarder dans les yeux. Doug me serre affectueusement l'épaule et me dit :

— Ne t'inquiète pas, il va finir par arriver. Michael est un gars fiable, n'est-ce pas, Clarissa?

Je ne suis pas tellement d'humeur à le défendre pour l'instant, et je fais comme si je n'avais pas entendu.

Soudain, Mattie enfonce ses ongles dans mon bras.

— Regarde! murmure-t-elle. C'est Andrew!

— Aïe!

Je libère mon bras de son étreinte, frottant les petites marques blanches qu'ont laissées ses ongles limés en forme de griffes.

— Andrew! Par ici! crie-t-elle.

En entendant son nom, Andrew se retourne et rougit dès qu'il aperçoit Mattie qui agite les bras en souriant bêtement. Je ne saurais dire s'il rougit parce que Mattie lui plaît ou parce qu'il est mal à l'aise. Il y a peut-être un peu des deux. Il hoche poliment la tête pour montrer qu'il nous a vus et se faufile jusqu'à nous à travers la foule.

Denise pousse doucement Mattie d'un coup d'épaule.

— Ce qu'il est mignon! Beau travail, Mattie!

— C'est vrai qu'il est beau, dit Mattie en gloussant. Regardez son pantalon! Je crois qu'il a été repassé!

Andrew arrive et Mattie le présente à tout le monde en grande pompe. Il est vraiment gentil et sans contredit un bien meilleur choix que Josh ou Declan. Mattie a le sourire accroché au visage. Je suis contente qu'elle ait enfin trouvé un garçon qui mérite de recevoir toute l'affection qu'elle a à donner (et Dieu sait qu'elle en a). J'espère que ça ne fera pas peur à Andrew.

On a ouvert les portes, et les gens commencent à entrer dans le théâtre. Doug fait un compte rapide.

— Bon, j'ai sept billets et six personnes. Qui est-ce qui manque?

— Seulement Michael, répond Mattie.

— On ferait mieux d'entrer. Clarissa, tu peux attendre Michael ici, suggère Doug, et on vous réservera deux places.

— D'accord.

Mattie semble préoccupée.

— Veux-tu que j'attende avec toi?

— Non, ça ira. De toute façon, tu ne devrais pas laisser Andrew seul avec tous les autres. Il a l'air plutôt intimidé.

— Si tu es sûre que ça ira…

— Je le suis.

Mattie me serre si fort dans ses bras qu'elle manque de m'étouffer. Pour quelqu'un qui a si peu de force dans les membres supérieurs, elle a une étreinte redoutable.

— Je te garde une place à côté de moi, O.K.?

Et elle disparaît rapidement à l'intérieur du théâtre.

À mesure que les gens arrivent, je sens la nervosité me gagner. La femme qui prend les billets à la porte m'adresse quelques sourires compatissants.

— Tu attends quelqu'un? me demande-t-elle lorsqu'il y a une accalmie.

— Évidemment, dis-je d'un ton brusque.

C'en est fait des sourires.

Moins de cinq minutes avant le début du spectacle. Où est Michael? Je ne peux pas croire qu'il ne viendra pas. Il a promis d'être là. Il me semblait pourtant fiable. Même s'il est mal à l'aise à cause de cette histoire de baiser qui a tourné au fiasco (c'est encore douloureux pour moi d'avouer que c'est un fiasco; comment une chose si importante pour une personne peut-elle ne rien signifier pour une autre?), il ne s'agit pas de moi ce soir, mais de Benji. Comme Mattie l'a dit, Michael est des nôtres; quand il a décidé de nous aider à coincer Terry DiCarlo l'année dernière, il a conclu un pacte secret avec nous. On était plus que des amis; on était des complices, des protecteurs des innocents, des défenseurs de la justice. Il a risqué des retenues et d'éventuelles blessures pour aider Benji; ce serait la moindre des choses qu'il vienne voir son spectacle.

— Tu devrais aller t'asseoir, dit la femme à la porte. Est-ce que ton ami a déjà son billet?

— Non, c'est moi qui les ai achetés.

— Je n'ai pas le droit de faire entrer les retardataires pendant les scènes. Mais si tu veux me laisser le billet, je pourrai faire entrer ton ami pendant les applaudissements.

Je regrette de lui avoir répondu bêtement tout à l'heure.

— Ce serait gentil, merci.

— Quel est son nom?

— Michael. Michael Greenblat.

Il reste moins de deux minutes lorsque la porte s'ouvre. La femme sourit d'un air jovial.

— De justesse! C'est ton ami?
Mais ce n'est pas Michael.

Applaudissements

Le Dentonateur me salue d'un signe de tête.

— Clarissa.

— Vous êtes en retard, dis-je.

— Oui, j'ai dû me changer au travail. Je n'étais pas certain d'arriver à temps.

Je remarque sa chemise boutonnée jusqu'au cou et rentrée dans son jean, et je ne me souviens pas de la dernière fois où j'ai vu le père de Benji porter autre chose qu'un t-shirt.

Les lumières s'éteignent et se rallument.

— Le spectacle va commencer, dit la femme près de la porte.

Le Dentonateur enlève sa casquette de baseball et passe une main dans ses cheveux décoiffés.

— Ça t'ennuie que je m'assoie avec toi?

— Pas du tout. Ma mère nous a gardé des places.

* * *

Le spectacle est merveilleux, au point que j'en oublie presque que c'est Michael qui devrait être assis à côté de moi, et non le Dentonateur. Charity est renversante, naturellement. Sa crinière caractéristique est cachée sous une perruque foncée sur laquelle on a reproduit les célèbres tresses de Dorothée. Au bout d'un moment, j'oublie que c'est Charity que je regarde, et je ne vois plus que Dorothée. Tous les acteurs sont bons, mais Charity a un je-ne-sais-quoi qui fait qu'elle se démarque. J'imagine que c'est ce qu'on appelle avoir l'étoffe d'une star.

Benji n'entre en scène qu'au milieu du premier acte. Je connais l'histoire par cœur, et après la scène avec l'Homme de fer-blanc, je commence à être nerveuse pour Benji. Mattie aussi, sans doute, car elle me prend la main et la serre fort. Assis à côté de moi, le Dentonateur remue sur son siège. Est-ce mon imagination, ou est-il légèrement penché en avant?

Enfin, voilà Benji. Je souris tout le temps qu'il est sur scène. Je n'y peux rien, il est tellement bon! Sa voix est plus forte qu'elle ne l'a jamais été, et le bégaiement du Lion poltron est des plus réussis. À l'entendre, Benji ne semble pas du tout nerveux; il est parfait.

Tandis que les lumières baissent, le public rit et applaudit. Ma rangée, principalement occupée par notre petit groupe bruyant, est la première à se lever pour ovationner la troupe. J'ai envie de crier : « C'est mon meilleur ami, c'est mon Benji! ». Mais je me contente d'applaudir comme les autres spectateurs, débordante de fierté.

* * *

Après le spectacle, nous attendons dans le hall que les acteurs sortent des loges. Il y a beaucoup de monde, fleurs à la main, souriant et riant en se rappelant les bons moments du spectacle.

Denise n'en peut plus de ravissement et ne cesse de s'exclamer :

— Nom d'un chien, vous avez vu ça? Je n'en crois pas mes yeux! Il a été épatant, non? Vraiment épatant! Jamais je n'aurais cru.

Un à un, les acteurs apparaissent, habillés de leurs vêtements habituels, mais toujours lourdement maquillés. Les filles ont des faux cils et beaucoup de fard à paupières bleu. Les visages des garçons ont été débarbouillés, mais on

VIKKI vansickle

distingue toujours un trait de ligneur autour de leurs yeux et des traces de rouge sur leurs lèvres. Le public les accueille avec des applaudissements et des étreintes et ils sourient tous timidement. Les gens poussent des acclamations lorsque Charity surgit, l'air fatiguée mais heureuse, ses magnifiques cheveux aplatis sur le dessus à cause de la perruque. Elle croise mon regard et m'adresse un petit signe de la main avant de disparaître parmi un groupe de fervents admirateurs.

Le Dentonateur, quant à lui, paraît mal à l'aise pour une fois dans sa vie. Il se dandine d'une jambe sur l'autre, son regard se posant tour à tour sur l'horloge, sur la porte et sur nous. C'est peut-être à cause de sa chemise à col.

— Vous êtes attendu quelque part? dis-je d'un ton plein de sous-entendus.

— Je ne savais pas que je devais apporter des fleurs, dit-il en contemplant la foule de gens qui ont de gros bouquets.

Je regrette de lui avoir parlé sur ce ton. Il me fait pitié. Comment aurait-il pu savoir? Ce n'est pas comme si on lui avait déjà offert des fleurs après une importante partie de hockey. Pour autant que je sache, c'est la première fois que le Dentonateur met les pieds dans un théâtre.

Je lui tends mon bouquet.

— Tenez, prenez celles-là.

— Non, je ne peux pas. Tu les as achetées, et c'est toi qui devrais les lui donner.

— Ça ne fait rien, j'ai autre chose pour lui.

Mais le Dentonateur secoue la tête.

— Ce ne serait pas correct.

— Je crois avoir vu une femme qui vendait des roses à l'entracte près de la cantine, dit ma mère d'une voix douce.

Je suis persuadée qu'il lui en reste.

Le Dentonateur a l'air soulagé.

— Merci, Annie. Je vais jeter un coup d'œil.

Lorsque Benji sort discrètement, pour une fois je suis heureuse d'être en compagnie de gens exubérants. Charity a peut-être soulevé beaucoup d'applaudissements, mais ce n'est rien en comparaison de l'accueil réservé à Benji. Denise met deux doigts dans sa bouche et siffle.

— Regardez, c'est le Lion poltron! s'écrie Doug.

Des inconnus s'avancent vers Benji pour le féliciter et lui donner une petite tape dans le dos tandis qu'il se dirige vers son groupe d'admirateurs. Même sous son épais fond de teint, je peux voir qu'il a le visage tout rose.

— Tu as été vraiment extraordinaire, dit ma mère d'un ton chaleureux.

— Excellent travail, Benjamin, dit Doug en lui serrant la main.

Le père de Benji s'avance et présente à son fils un gros bouquet de roses enveloppées individuellement. Il doit y en avoir au moins une dizaine, et de toutes les couleurs : rouge, jaune, rose et blanc.

— Pour moi? demande Benji.

Le Dentonateur acquiesce d'un signe de tête.

— C'était vraiment quelque chose. Jamais je n'aurais pu monter sur scène devant tous ces gens, dit-il.

Je lève les yeux au ciel, mais à voir le sourire de Benji, je constate qu'il ne trouve pas le commentaire de son père trop nul.

— Regardez-moi ça, souffle Denise. Il a dû acheter toutes les roses qu'il restait.

— Il a bon cœur, souligne ma mère.

Les yeux de Denise brillent soudain d'un éclat familier.

— Tu sais, il est encore en forme pour un homme de son âge.

Ma mère rit. De mon côté, j'en ai assez entendu. Je m'éloigne du groupe et m'approche de la star qui croule sous le poids de ses fleurs.

— Besoin d'un coup de main avec toutes ces fleurs?

Benji me tend un bouquet, mais continue de serrer fort la douzaine de roses individuelles offertes par son père.

— Moi aussi, j'ai quelque chose pour toi, mais je te le donnerai tout à l'heure. Tu sembles en avoir plein les bras de toute façon.

— Ce n'était pas nécessaire, proteste Benji.

— Ne sois pas ridicule. J'y tenais!

— Comment as-tu trouvé le spectacle? Sincèrement?

— Sincèrement? C'était incroyable. *Tu* étais incroyable. Ne viens pas me dire que tu n'as pas entendu tous ces gens qui t'applaudissaient.

Benji affiche un grand sourire.

— Oui, je les ai entendus. Est-ce que tu viens avec nous?

— Où est-ce que vous allez?

— Presque toute la troupe s'en va au comptoir de crème glacée. C'est une tradition.

— Je ne veux pas vous déranger. Il semble que ce sera une sortie entre vous.

— Je veux que tu viennes. Mattie et Andrew peuvent venir aussi. Je t'en prie, Clarissa. Tu n'as accepté aucune de mes invitations jusqu'à maintenant.

— O.K. Mais seulement parce que tu es une star.

À bout

Il y a foule au comptoir de crème glacée. Dehors, les gens circulent, des cornets de crème glacée dans les deux mains, entre le guichet et les tables de pique-nique où tout le monde est affalé. C'est la première belle soirée où l'on sent que l'été approche. La chaleur inhabituelle rend les gens de belle humeur. Enjôleurs, aussi. J'ai l'impression de me trouver au milieu d'une parade nuptiale d'ados.

À l'intérieur, l'endroit est bondé d'acteurs et de leurs amis. C'est la sortie parfaite après un spectacle pour des gens de théâtre : des gens bruyants, amusants et exubérants. Tous les employés portent des chapeaux pointus en papier qui semblent avoir été utilisés comme petits bateaux que l'on fait voguer sur les bassins d'eau, auparavant. La radio est réglée sur un poste rétro, et chaque compartiment, par sa décoration, rend hommage à une célébrité disparue depuis longtemps : James Dean, Marilyn Monroe, Elvis Presley. Mattie, Andrew, Benji et moi nous engouffrons dans le compartiment *I Love Lucy*.

Mattie s'empare du menu personnalisé qui présente toutes sortes de faits se rapportant à *I Love Lucy* et lit à haute voix :

— Saviez-vous que sept personnes sur dix possédant un téléviseur ont regardé l'épisode où Lucy donne naissance à Little Ricky ?

— Dégoûtant ! Dis-nous donc plutôt ce qu'il y a de bon à manger.

— Ce n'est pas comme s'ils avaient montré l'accouchement à la télé, proteste Mattie.

Je frémis et me bouche les oreilles.

— D'accord, d'accord. Oh, regardez! Les rondelles d'oignon sont à moitié prix! J'adore les rondelles d'oignon, seulement je n'arrive jamais à en manger tout un panier…, dit Mattie en souriant gentiment à Andrew.

— Veux-tu qu'on partage un panier? demande-t-il.

De toute évidence, Andrew comprend plus vite que Josh Simmons.

Le sourire radieux de Mattie devient carrément éblouissant.

— *J'adorerais!*

Il me vient à l'esprit que c'est ici que mon père a invité ma mère pour leur premier rendez-vous. Je me demande à quelle table ils étaient assis. Probablement James Dean. Le type poète torturé (ou le type qui prétend être un poète torturé) opterait probablement pour James Dean. Doug, lui, ne choisirait jamais James Dean. Il irait pour quelque chose de dingue. En fait, il s'assoirait probablement ici, à la table *I Love Lucy*. Je dois l'admettre, par les temps qui courent, je suis dans le camp de Doug. Désolée, Bill. Il n'y a pas que l'ADN dans la vie.

— Veux-tu qu'on partage quelque chose? me demande Benji.

— Pas question. Je peux manger un panier en entier et même plus encore. De toute façon, je veux de la crème glacée.

— Hé, regardez, c'est le Benj!

Beckett entre dans le petit restaurant, suivi de près par Mika et d'autres filles que je ne reconnais pas. L'une d'elles ne peut pas s'empêcher de toucher à Beckett, et une autre sourit constamment, mais la bouche fermée. Lorsqu'elle est plus près, j'aperçois l'éclat métallique des broches dans sa bouche. Ils devaient tous jouer dans la pièce, car ils ont encore des traces de ligneur autour des yeux, et des zébrures de fond de teint orangé dans le cou. Mika a passé un bras autour des épaules de Beckett et le regarde avec adoration. Beckett ne semble pas s'en rendre compte.

Je ne sais comment, tous les quatre parviennent à se glisser à notre table à force de pousser petit à petit. Mattie est collée contre Andrew, qui rougit et fait semblant d'étudier le menu.

Bientôt, des frites et des rondelles d'oignon nous sont servies dans des paniers en plastique rouge dont le fond est tapissé de papier blanc. Beckett fait son numéro, se léchant bruyamment les lèvres, puis léchant un à un ses doigts maculés de vinaigre.

— *Magnifico!* s'exclame-t-il.

— C'est de l'espagnol, ça? demande Mika.

Sapristi.

— Alors, comment avez-vous trouvé le spectacle? demande Les Broches. Soyez francs!

— C'était fantastique, répond Mattie. J'ai adoré chaque moment.

— Difficile de croire que c'était le premier spectacle de Benji, dit Beckett en lui donnant un coup de poing amical sur le bras. C'est un acteur né.

Benji grimace et se frotte le bras, mais il ne peut s'empêcher de sourire en même temps.

— Merci.

— Le premier de toute une série de spectacles, n'est-ce pas, frérot? dit Beckett en levant la main pour que Benji tape dedans, ce qu'il fait à contrecœur.

— Je l'espère, répond Benji, ce qui fait rire les filles.

— Tu es vraiment trop mignon, dit La Pieuvre en tendant le bras pour pincer la joue de Benji. N'est-ce pas qu'il est mignon?

Mattie renifle, et ses épaules se raidissent. De toute évidence, je ne suis pas la seule à trouver ces poseuses agaçantes.

— Si par mignon tu veux dire talentueux, alors oui, dis-je froidement.

— Qui est cette fille? demande Les Broches.

— Je m'appelle Clarissa Louise Delaney.

— Oooh, est-ce que c'est ta petite amie, Benji? lance Les Broches pour le taquiner.

— J'espère que non, dit La Pieuvre en lâchant Beckett pour poser ses tentacules autour des épaules de Benji. Celui-là, il ferait sûrement un très bon petit ami.

Benji devient presque aussi rouge que le ketchup sur la table, et il tente de se dégager des tentacules de La Pieuvre.

— Excuse-moi, il faut que j'aille aux toilettes, dit-il.

Beckett met ses mains en porte-voix et imite un animateur de radio médiocre :

— Mesdames et messieurs, le Benj!

Mika et les autres filles rient tandis que Benji file vers les toilettes, la tête baissée et les joues en feu.

Une fois qu'il est hors de portée de voix, Les Broches se penche au-dessus de la table.

— Sérieusement, c'est quoi, l'affaire? Est-ce que vous sortez ensemble?

— Non, on ne sort pas ensemble.

Je dois parler lentement et avec précaution pour ne pas exploser.

— Clarissa est déjà prise, déclare Mattie.

Tout le monde a l'air surpris, mais nul ne l'est autant que moi.

— C'est vrai? demande Andrew en fronçant les sourcils.

Mattie panique.

— Dans son cœur en tout cas, dit-elle d'un ton hésitant.

La Pieuvre et Les Broches se rapprochent avec l'air d'attendre quelque chose.

— J'aimerais en savoir un peu plus long sur cette histoire, dit Les Broches.

Mattie s'empresse de gober les rondelles d'oignon qui restent, évitant mon regard. Tiens, tiens, moi qui croyais qu'elle ne voulait pas s'empiffrer devant les garçons.

— Il n'y a aucune histoire, dis-je rapidement.

Peut-être un peu trop rapidement. En effet Les Broches et La Pieuvre échangent un regard entendu et deviennent tout à coup extrêmement compatissantes.

— Les garçons sont nuls, dit Les Broches.

— Vraiment nuls, renchérit La Pieuvre.

— Hé! proteste Beckett. Je suis là, moi!

— Tu es un homme, pas un garçon, dit Mika en gloussant.

Au secours! Si c'est ça le deuxième cycle, je préfère redoubler.

— Ce n'est rien de grave, elle est seulement bouleversée, explique Mattie aux autres.

— Je ne suis pas bouleversée, dis-je, les dents serrées.

— Raconte-nous ça, Clarissa. Ça fait du bien d'exprimer ce qu'on ressent, insiste Les Broches.

— Raconter quoi? Qu'est-ce qu'il y a?

Soudain, tout le monde se tait tandis que Benji reprend sa place en me regardant d'un air inquiet.

— Clarissa? Qu'est-ce qui t'a bouleversée?

Je tente d'esquiver la question.

— Rien, Benji. Ne te fais pas de souci.

Mais Mattie ne l'entend pas ainsi.

— C'est Michael, annonce-t-elle. Jamais je n'aurais cru qu'un garçon comme lui traiterait une fille de cette façon. Il paraît si respectueux.

Benji a l'air carrément alarmé maintenant.

— Traiter une fille de quelle façon? Qu'est-ce qui se passe?

— Il ne l'a toujours pas rappelée.

— Et alors?

— Et alors? Une semaine, c'est très long avant de rappeler une personne qu'on a embrassée.

— Tu l'as EMBRASSÉ? dit Benji l'air incrédule.

Les Broches lève une main pour que je tape dedans et s'exclame.

— Génial! Bien joué, Clarissa!

Je lui lance un regard si furieux qu'elle laisse retomber sa main d'un air penaud.

— Oui, j'ai embrassé Michael, et il ne m'a pas adressé la parole depuis. Est-ce qu'on peut passer à autre chose maintenant?

Benji est déconfit.

— Je ne peux pas croire que tu ne me l'as pas dit.

— Comme tu vois, il ne s'est rien passé ensuite, alors à quoi bon?

— Les gars! dit Mika en secouant la tête.

La Pieuvre et Les Broches l'approuvent en hochant la tête.

— Oh, Clarissa. Je suis tellement, tellement désolé, dit Benji.

Il a l'air tellement triste que j'ai envie de le frapper.

— Inutile de me plaindre! Je m'en moque! Ça ne voulait rien dire. Ça s'est fait sur l'impulsion du moment. J'ai perdu Suzy, puis j'ai eu la nouvelle au sujet de ma mère, et ensuite on a retrouvé Suzy, et c'est arrivé comme ça. J'aurais embrassé n'importe qui se trouvait là. J'aurais embrassé, même *lui!*

Paniquée comme je le suis, je pointe le doigt vers Beckett qui, pour une fois, ne trouve rien à dire.

Mika me regarde de travers et, d'un geste protecteur, pose une main sur le bras de Beckett. Celui-ci recouvre l'usage de la parole.

— Holà, Clarissa, tu es gentille et tout, mais je pense que tu es un peu jeune pour moi…

— Sapristi, je n'ai pas voulu dire que je le ferais. Ce n'était qu'un exemple! Comme si j'aurais envie de t'embrasser.

Les Broches se renfrogne.

— Tu es dure, Clarissa.

— Écoute, Basket…

— Beckett.

— Je me moque de ton fichu nom. Tu ne me connais pas, alors laisse-moi tranquille.

— Et moi qui pensais que Charity était la reine du mélodrame, marmonne La Pieuvre.

Je me surprends à prendre la défense de Charity.

— Hé! Laisse Charity en dehors de ça!

— Ça alors, on est susceptible, dit Les Broches d'un ton guindé.

J'ai envie de lui arracher les broches de la bouche.

— Je ne suis pas susceptible et je ne suis pas en colère contre Michael. Je me fiche de Michael Greenblat. Je regrette de l'avoir embrassé et surtout d'en avoir parlé! Alors, arrêtez de me mettre les mots dans la bouche et croyez-moi quand je dis une bonne fois pour toutes qu'en ce qui me concerne, Michael Greenblat n'existe plus!

Je tourne les talons, prête à faire une sortie digne des plus grandes scènes de théâtre, du genre dont les gens parleront encore dans plusieurs mois. C'est alors que j'aperçois Michael qui traîne autour de la caisse, me dévisageant comme si j'étais une personne horrible et sans cœur.

Et en ce moment, c'est ce que je suis.

Abattue

— Michael? Michael!

Je me fraye un chemin parmi les clients, mais je ne suis pas assez rapide pour rattraper Michael, qui est sorti discrètement avant de disparaître dans la nuit. Je m'assois sur le banc d'une table de pique-nique déserte, plus démoralisée que jamais. Une clochette tinte, et Mattie sort du restaurant en me souriant tristement.

— C'est foutu, dis-je en soupirant.

— Peut-être pas, dit Mattie, mais je vois bien qu'elle n'y croit pas.

— Je ferais mieux de rentrer. Je ne veux pas gâcher la soirée de quelqu'un d'autre ce soir.

— C'est probablement une bonne idée, approuve Mattie.

— Allons-y.

Mattie hésite, tortillant une grosse mèche de cheveux autour de son doigt.

— C'est que… Andrew a offert de me raccompagner. Si ça ne te dérange pas trop?

— Bien sûr que non! Vas-y! Je vais me débrouiller.

Mattie paraît immensément soulagée.

— Oh, merci! J'espère que tu n'as pas l'impression que je t'abandonne. Ce n'est pas que j'accorde plus d'importance aux garçons qu'à notre amitié. C'est juste que… il va me raccompagner!

— Ça ira.

— Tu es sûre? Parce que si tu préfères, je peux rentrer

avec toi. Les copines d'abord!

— Ça ira, Mattie, vraiment.

Elle me serre brièvement dans ses bras.

— Je te téléphone en arrivant et je te raconterai tout, promis!

Mattie retourne en courant dans le petit restaurant pour récupérer son sac à main et son copain, ratant Benji de justesse. Ce dernier m'approche comme si j'étais un animal sauvage, lentement et avec prudence.

— Tu rentres?

Je fais signe que oui.

— J'ai déjà causé assez d'ennuis comme ça.

— Je t'accompagne.

* * *

Nous marchons en silence. Benji s'éclaircit la gorge.

— Eh bien, c'était quelque chose.

— Je m'excuse d'avoir gâché ta soirée.

— Tu ne l'as pas gâchée. En fait, tu as été le clou de la soirée. Les gens en parleront longtemps.

— Super, dis-je en gémissant. J'ai vraiment fait tout un drame cette fois, n'est-ce pas?

Benji hoche la tête, l'air sombre.

— Je dirais, oui. La vérité, Clarissa, que tu veuilles l'admettre ou non, c'est que tu es très douée pour faire une montagne avec peu.

— Mais je ne fais pas exprès! dis-je d'une voix plaintive.

Benji me tapote l'épaule.

— Je sais.

Il fait une pause avant de demander :

— Pourquoi ne m'as-tu rien dit à propos de Michael?

— Tu veux parler du…

Benji rougit et m'interrompt.

— Oui, de ça.

— Tu vois, tu ne peux même pas prononcer le mot! Comment aurais-je pu t'en parler en sachant que ça te rendrait mal à l'aise?

— Je croyais qu'on était les meilleurs amis du monde.

— On l'est!

Je prends une bonne respiration et tente de lui expliquer.

— Tout ça s'est passé si vite. On venait juste d'apprendre que le cancer de ma mère était parti, et toi tu étais tellement occupé avec ton spectacle et tes nouveaux amis. Je ne pensais pas que ça t'intéresserait.

Benji s'arrête net et me dévisage, incrédule.

— Bien sûr que ça m'intéresse!

— Je me suis dit que tu penserais peut-être que j'essayais de te voler la vedette.

Benji fronce les sourcils.

— Me voler la vedette?

Je lui indique de laisser tomber d'un signe de la main.

— Écoute, je suis désolée. À l'avenir, je promets de toujours te tenir au courant des baisers que je donne. Même si ce n'est pas pour demain, dis-je d'un ton désabusé.

Benji fait la grimace.

— Qu'est-ce que je vais faire maintenant? dis-je, redoutant la réponse.

— Tu dois présenter tes excuses à Michael.

Je soupire.

— J'ai l'impression que tout ce que je fais depuis quelque temps, c'est m'excuser pour les gestes irréfléchis que je pose.

Je me tourne vers Benji pour me donner du courage.

— Ce sera dur, dis-je.

— Très dur, ajoute-t-il.

— Qu'est-ce que je vais lui dire?

— Qu'est-ce que je vais lui dire?

— Je ne sais pas, avoue Benji, mais je suis content de ne pas être dans tes souliers.

— Eh bien, merci.

— Il n'y a pas de quoi.

Allègement

Je mets une journée entière à rassembler mon courage pour aller m'excuser auprès de Michael. Je la passe à faire les cent pas dans la maison jusqu'à ce que ma mère, en train de faire un bon ménage dans le Bazar Coiffure, me lance d'en bas :

— Tu vas user le tapis. Est-ce que tu vas m'en parler ou est-ce que je vais devoir sortir mes ciseaux encore une fois?

Je sais qu'elle plaisante, mais je passe ma main dans mes cheveux légèrement trop courts et pousse un petit rire nerveux. Je descends d'un pas traînant et m'effondre sur l'une des grosses chaises rouges.

— Je dois présenter des excuses à quelqu'un.

— Qui?

— Michael.

Ma mère se contente de hocher la tête, ce qui est tout à son honneur, comme si c'était normal que nous parlions d'un garçon autre que Benji.

— Qu'est-ce que tu as fait? demande-t-elle, un sourire au coin des lèvres. Tu l'as frappé avec une raquette de badminton?

— J'aimerais bien que ce soit seulement ça. J'ai dit des choses terribles sur lui devant un groupe de personnes. Je ne savais pas qu'il était là. Non pas que ça change quoi que ce soit.

Ma mère hausse les sourcils, mais continue à frotter.

— Un groupe de personnes?

— Un restaurant rempli d'amis et d'étrangers.

— Aïe! fait ma mère. Il semble que des excuses soient de mise.

— Mais ça ne rend pas les choses plus faciles.

— Bien sûr que non. Si c'était facile de s'excuser, la paix régnerait dans le monde depuis belle lurette.

Je souris malgré moi.

— Est-ce que c'était ton souhait quand tu as gagné le concours de beauté *Dairy Queen*?

Ma mère rit.

— Mon Dieu, non. Je laisse ça aux candidates de Miss America. J'ai souhaité un allègement fiscal pour les agriculteurs.

— C'est vrai?

— Il faut dire que le concours était parrainé par les producteurs laitiers de l'Ontario.

— N'empêche, ce n'était pas très subtil.

Ma mère lève les épaules.

— J'ai simplement joué le jeu selon leurs règles, et j'ai fait ce qu'il fallait pour que tous soient contents d'eux-mêmes et du travail qu'ils font. Je ne vois pas ce qu'il y a de mal à ça. De plus, un vrai souhait est quelque chose d'intime. Sûrement pas quelque chose qu'on partage avec un jury.

— Est-ce qu'un de tes souhaits s'est déjà réalisé?

Ma mère sourit.

— Deux fois. D'abord avec toi, et maintenant…

— … avec Doug.

— Bingo, s'exclame-t-elle.

C'est le moment ou jamais. J'inspire profondément et révèle le premier des nombreux secrets qui me pèsent sur la conscience.

— J'ai fouillé dans sa penderie quand je suis allée nourrir Suzy.

Ma mère dépose l'éponge qu'elle utilisait pour récurer les lavabos du Bazar Coiffure. Elle ne dit rien, mais me fixe comme pour m'encourager à continuer.

— Je n'ai rien trouvé. Pas de squelettes, pas de linge sale.

— J'aurais pu te dire ça sans que tu aies besoin de fouiller dans ses affaires personnelles.

— Je voulais en être certaine. Vas-tu lui dire?

Ma mère réfléchit avant de déclarer :

— Tu as oublié de ranger la chaise.

— Quoi?

— Tu as laissé une chaise dans la chambre.

Bien sûr, la chaise de cuisine. Tu parles d'une détective. Mon moral tombe bas, très bas.

— Il est au courant, donc?

Ma mère acquiesce d'un signe de tête.

— Comment se fait-il qu'il n'ait rien dit?

— Je ne sais pas. Peut-être qu'il ne voulait pas t'embarrasser.

Je ne pensais pas qu'il était possible de me sentir encore plus mal, mais je me trompais. On me prend à fouiller dans la maison d'un type, et c'est lui qui ne veut pas m'embarrasser.

— Qu'est-ce que je devrais faire?

— Tu pourrais t'excuser.

Je soupire de nouveau.

— Je serai bientôt une experte dans le domaine.

Ma mère rit.

— Merci de me l'avoir dit. Je sais que tu me caches des choses depuis quelque temps.

— C'est juste que je ne voulais pas que tu t'inquiètes

pour rien.

Ma mère paraît blessée.

— Ta vie n'est pas rien pour moi.

— Je me suis dit que si tu avais encore plus de soucis, tu ne pourrais pas te concentrer sur ta guérison.

Pendant une seconde, j'ai peur que ma mère fonde en larmes; mais elle respire profondément et parvient à se ressaisir.

— Je suis désolée que tu doives affronter cette épreuve, Clarissa. Dans un monde parfait, aucun enfant n'aurait à vivre avec un parent malade. Mais je ne suis plus malade maintenant. Tu peux tout me dire. Je suis ta mère. Je m'inquiéterai toujours un peu. Quand tu me caches des choses, c'est pire, pas mieux.

— O.K.

Ma mère sourit et repousse mes cheveux derrière mes oreilles. C'est un geste tellement tendre que ça m'est égal qu'elle porte encore les gants de caoutchouc jaunes qu'elle met pour faire le ménage.

— Repartons à zéro, propose-t-elle. À partir d'aujourd'hui, on se dit tout, que ce soit important ou non. D'accord?

— D'accord. Est-ce que ça veut dire que je devrai t'écouter me parler de la mauvaise haleine de Doug ou de son pied d'athlète?

Ma mère rit et répond :

— Personne ne veut entendre parler de ça. Maintenant, dis-moi, quelles sont les chances que je réussisse à te garder ici et à te convaincre de m'aider à enlever les cheveux dans les tuyaux d'écoulement? Je sais à quel point tu aimes ça.

— Je t'annonce déjà que ton souhait ne se réalisera pas.

Authentique

Je ne suis encore jamais allée chez Michael. Je m'arrête
sur le seuil avant de sonner. À l'intérieur, on jurerait qu'il
y a une fête. Ou peut-être une émeute. D'une manière ou
d'une autre, il y a beaucoup de cris et d'aboiements.

La porte s'ouvre à la volée avant que j'aie la chance de
frapper. Un petit garçon me fixe.

— Tu n'es pas le livreur de pizza, dit-il d'un ton
accusateur.

— Non.

À l'intérieur, une femme lance :

— David! Qui est là?

— C'est une fille! crie le petit garçon (David, je
présume).

— Donne l'argent à la fille et prends la pizza!

— Elle n'a pas de pizza!

— Quoi?

Quelqu'un descend l'escalier à pas pesants, puis une
femme apparaît dans l'embrasure de la porte. Ses cheveux
ont été noués à la hâte, et elle a de la mousse de savon sur
les mains, ce qui s'explique probablement par la présence
d'un bambin très mouillé et très nu contre sa poitrine.

— Oh. On a cru que c'était le livreur de pizza. Je peux
vous aider?

Au même moment, un ballon de basket rebondit dans le
couloir, poursuivi par un jeune chien aux pattes énormes.

— Michael! crie la femme. Je t'ai demandé de ranger ce

ballon. C'est le chien qui l'a maintenant. Oh, pour l'amour du ciel. Tiens, peux-tu le prendre un instant?

La femme me fourre le bébé dans les bras, et je reste plantée là pendant qu'elle poursuit le chien qui court toujours après le ballon, David courant derrière elle en riant. Le bambin est lourd et glissant et il mouille tout le devant de mon t-shirt. Il se tortille pour me regarder et se renfrogne, touchant ma joue de sa main potelée et mouillée. Je n'ai jamais tenu de bébé dans mes bras. Je n'ai même jamais gardé d'enfants qui marchent et qui parlent. Le voilà qui explore mon visage avec sa main, comme s'il espérait trouver un trait qui lui semble familier. Il glisse un peu lorsque je le change de position et agrippe mon t-shirt avec une force impressionnante. S'il fallait qu'il m'échappe!

— Clarissa?

Michael m'observe du haut de l'escalier.

— Peux-tu m'aider? dis-je au moment où le bébé commence à pleurnicher.

Le temps que Michael descende les marches, le bambin hurle directement dans mon oreille droite.

— Chut, Théo, tout va bien.

Michael prend le bébé, le cale contre son épaule et frotte son petit dos comme si c'était la chose la plus naturelle du monde. Théo cesse de pleurer et émet quelques gargouillis, ce qui me fait croire qu'il est soit content soit sur le point de vomir. Michael me décoche son sourire de travers comme pour s'excuser.

— Navré pour cet accueil. Bienvenue au zoo!

* * *

En moins de cinq minutes, j'ai fait la connaissance des trois frères de Michael. Théo, le bébé mouillé, a 18 mois; David, cinq ans; et Solly, qui insiste pour porter des lunettes

3D, en a huit.

— Presque neuf, insiste-t-il.

Rambo, le chien, court d'un bout à l'autre du salon; une chaussure de course pend de sa gueule.

— C'est toujours comme ça?

Michael hausse les épaules.

— Presque.

Et moi qui croyais que c'était un peu bruyant chez nous.

— Alors, euh… je peux t'aider? demande Michael.

C'est à peine s'il me regarde; je ne peux pas le blâmer, après l'avoir traité comme je l'ai fait.

— Je voulais te parler. À vrai dire, je voulais m'excuser.

Michael jette un coup d'œil par-dessus son épaule.

— M'man? Est-ce qu'on peut aller se promener?

La mère de Michael réapparaît en haut de l'escalier.

— D'accord. Mais pas trop longtemps; tu es privé de sortie, n'oublie pas.

— Je n'oublie pas, marmonne Michael. Allons-y.

* * *

— Où veux-tu aller? demande Michael.

Je songe à proposer le comptoir de crème glacée, mais ce serait vraiment comme retourner sur les lieux du crime. Une balade au parc de St-Paddy serait cruelle, puisque c'est là que nous sommes allés le soir de notre premier (et probablement dernier) baiser. Je décide de ne prendre aucun risque et suggère l'endroit le plus neutre auquel je peux penser.

— Je ne sais pas. Peut-être au dépanneur? On pourrait s'acheter une barbotine.

— D'accord.

Le trajet jusque-là est terriblement silencieux; aucun de nous deux ne semble savoir quoi dire. Après trois pâtés de maisons, le silence est insoutenable.

— Comment était le spectacle? demande Michael.

— C'était super! Benji aussi a été super.

— Je crois que j'irai le voir dimanche après-midi. Il y a une représentation à 14 heures. Je devais y aller vendredi, mais j'étais privé de sortie.

— Pourquoi?

— À cause de ce qui s'est passé vendredi dernier.

Vendredi dernier. Le soir où Suzy a disparu. Le soir de la rémission. Le soir de notre premier (et probablement dernier) baiser.

— Quand on est arrivés chez toi, les événements se sont précipités et j'ai oublié de téléphoner chez moi. Je suis rentré avec une heure et demie de retard, alors j'ai été puni. Pas de sortie, pas d'Internet, pas de téléphone.

Tout s'explique. Les morceaux du casse-tête s'emboîtent maintenant : pourquoi il ne m'a pas appelée, pourquoi il n'est pas venu au spectacle. Tout ce que je trouve à dire, c'est :

— Oh!

— Je voulais te téléphoner, mais comme tu sais, je ne pouvais pas.

— Tu aurais pu me le dire à l'école.

— J'y ai pensé, mais tu étais toujours avec Mattie, Benji ou quelqu'un d'autre, dit Michael. Aussi, tu semblais plutôt fâchée cette semaine.

C'est plus fort que moi, je ris tout haut cette fois. Michael fronce les sourcils.

— Qu'est-ce qu'il y a de si drôle?

— J'étais fâchée parce que tu ne m'avais pas appelée.

Michael a l'air penaud.

— C'est logique. J'aurais été fâché, moi aussi.

Au dépanneur, j'offre de payer la barbotine de Michael, juste pour qu'il sache que je ne lui en veux pas. J'ajoute des bonbons et une barre de chocolat.

— Tu veux qu'on aille au parc?

Michael hoche la tête, et nous retournons sur nos pas en direction du parc de planche à roulettes. Nous nous assoyons sur les balançoires et nous empiffrons tellement de bonbons qu'il nous est presque impossible de discuter.

Lorsque j'en ai assez mangé et que j'en sens l'effet stimulant, je me lance. On pourrait penser qu'avec toutes les excuses que j'ai présentées récemment, ce serait devenu plus facile, mais ce n'est pas le cas.

— Écoute, je m'excuse pour ce que j'ai dit au restaurant. Tout le monde me tombait sur les nerfs et j'ai craqué. Je ne le pensais pas et je n'aurais jamais dit ça en temps normal.

C'est Mattie qui a décidé que je devais employer cette expression : « en temps normal ». Elle sonne bizarrement quand c'est moi qui l'utilise, mais Michael ne semble rien remarquer.

— O.K., dit-il en haussant les épaules.

— O.K.? Vraiment? Tu ne m'en veux pas... pour quoi que ce soit?

Michael me regarde droit dans les yeux pour la première fois ce soir. Je me demande s'il peut entendre mon cœur qui s'affole.

— Non, puisque tu me dis que tu ne le pensais pas, répond Michael.

— Je ne le pensais pas. Et je suis désolée. Vraiment, vraiment désolée.

Je prends un bonbon suret et le tiens en l'air.

— On fait la paix?

Michael en prend un parmi les siens et le colle sur le mien.

— On fait la paix.

Un autre poids de moins sur la conscience. Qui aurait cru que ça me ferait autant de bien de tout déballer?

— Il va falloir que je rentre bientôt, sinon ma mère sera furieuse, dit Michael.

Nous nous levons pour partir.

— À moins que tu veuilles venir chez moi? On pourrait regarder un film.

Mon cœur bat si fort qu'il faudrait que Michael soit sourd pour ne pas l'entendre. Puisque je suis sur une lancée d'authenticité, je décide de plonger et poursuis :

— Est-ce que ça veut dire qu'on sort ensemble?

— Non.

Je me demande s'il peut entendre mon cœur se briser, car tout à coup il semble sur ses gardes.

— Avec tout ce qui s'est passé, s'empresse-t-il d'ajouter, les sorties d'amoureux, c'est terminé pour moi. Pour l'instant, du moins.

Je n'en reviens pas. Comme ça fait mal! J'imagine que je le mérite. La seule chose qu'il me reste à faire, c'est de jouer le tout pour le tout. Mais d'abord, je prends une grande respiration.

— Parce que si c'était le cas, je serais d'accord, dis-je.

Le silence qui suit est si long que j'ai envie de crier juste pour y mettre fin. À quoi Michael peut-il bien penser? Mattie prétend que les garçons vivent dans un état perpétuel de surprise, et que je dois être patiente avec eux. Malheureusement, la patience n'est pas une de mes principales qualités. D'après Mattie, les filles mûrissent beaucoup plus vite que les garçons, et « on ne peut pas reprocher à un garçon d'être un peu lent quand il est question des affaires de cœur ».

— Laisse tomber, dis-je rien que pour abréger le supplice de Michael.

Au bout de ce qui me semble une éternité, Michael parle enfin.

— On pourrait peut-être ne pas sortir ensemble pour l'instant, et ensuite...

Mais il ne termine pas sa phrase. Il me regarde comme s'il attendait quelque chose, que je pique une crise ou je ne sais trop. Dans ma tête, j'entends Mattie qui dit : « hormones ». Oh, non. Suis-je devenue comme ces filles qui font circuler des billets doux pendant les cours, et qui pleurent à cause des garçons durant toute l'heure du dîner? Suis-je Amanda Krespi?

Je m'efforce de paraître normale et hausse les épaules.

— Oui, bien sûr, c'est ce que je me disais.

Je n'ai pourtant aucune idée de ce que je viens d'accepter. Comment le pourrais-je? Il n'a même pas fini sa phrase.

Mais ça semble régler la question, car Michael a l'air extrêmement soulagé.

— Cool, dit-il.

— Cool.

Nous nous sourions tous les deux jusqu'au moment où ça devient si intimidant que je détourne les yeux.

— Michael?

— Oui?

— Est-ce que ça veut dire que tu... enfin que nous... ne sortirons pas avec d'autres personnes?

— Je ne sais pas, répond Michael en fronçant les sourcils. La saison de baseball commence bientôt. Et il y a aussi le soccer. Je serai pas mal occupé. Je n'aurai probablement pas le temps de sortir avec qui que ce soit.

À mon tour d'être soulagée.

— Moi non plus.

— Alors, tu veux qu'on regarde un film? En amis? ajoute-t-il avant que je puisse répondre.

— Oui, ce serait cool.

— Cool.

Amis

— Et c'est tout, dis-je.

— Quel film avez-vous regardé? demande Benji.

— *Espions en herbe*. Ses petits frères l'ont regardé avec nous.

— Lequel? demande Charity. Un de mes amis a travaillé sur le deuxième film.

Je fronce les sourcils.

— Il y en a plus d'un?

— Est-ce qu'il a au moins essayé de te prendre la main? demande Mattie.

— Est-ce que tu as écouté ce que je viens de dire? On ne sort pas ensemble. De toute façon, ses frères étaient là!

Mattie soupire et s'affale sur le plancher, serrant un coussin contre sa poitrine.

— Comme c'est tragique! gémit-elle. Ça se termine avant même d'avoir commencé.

— Comme Roméo et Juliette, dit Charity.

— Ou Bella et Jacob, ajoute Mattie.

Benji ricane, et j'arrache le coussin des mains de Mattie pour lui frapper la tête avec.

— Euh! Je ne peux pas croire que tu lis ces trucs de vampire!

— C'est plus que des trucs de vampire, proteste-t-elle. C'est un phénomène culturel.

— Ouais, dis-je en levant les yeux au ciel.

— Peut-être que vous vous retrouverez dans plusieurs

années, dit Mattie.

— Ça s'est déjà vu, souligne Charity.

Au début, je croyais que ça ferait bizarre que Charity se joigne à nous. Après tout, elle a deux ans de plus que nous. Pourquoi voudrait-elle fréquenter une bande d'élèves de 8e année? Mais il s'est avéré que Benji avait raison; elle est sympathique. Et drôle. Et elle a beaucoup de goût en matière de films. En fait, quand on la voit sans tous ses amis de théâtre, elle est presque normale. Au moins aussi normale que Mattie peut l'être, et je passe tout mon temps avec Mattie.

— Ou peut-être qu'il va rencontrer une fille plus jolie et plus gentille que moi, et qu'il m'aura complètement oubliée l'an prochain, au deuxième cycle.

— J'en doute, dit Benji. Tu es son Annie.

— Son quoi?

— Son Annie, tu sais, comme Doug et Annie.

N'importe quoi.

— O.K., les histoires d'amour passionné ne s'appliquent qu'à des personnages imaginaires, pas à des gens que je côtoie tous les jours, dis-je. Et surtout pas à ma mère.

— Vous restez amis, alors? demande Benji.

— Oui, dis-je.

— Amis, c'est bien!

— Amis, c'est super!

Mattie n'a pas l'air convaincue.

— Amoureux, c'est bien mieux, ajoute-t-elle.

Au secours! Je me couvre les oreilles.

— Es-tu *vraiment* obligée d'employer ce mot-là?

— Quel autre mot veux-tu que j'utilise? demande Mattie en clignant des yeux. Partenaire? Compagnon? Être cher?

Ma mère apparaît en haut de l'escalier. Elle est belle et

semble fraîche comme une rose dans sa robe bain-de-soleil à motifs blancs et jaunes. Ses cheveux sont séparés par une raie sur le côté et le pendentif de Doug repose près de son cœur.

— Quel être cher? demande-t-elle.

Nous répondons tous d'une seule voix mélodieuse et innocente :

— Personne!

— Où vas-tu? dis-je en contemplant sa robe.

— Au minigolf.

Doug cogne à la porte à moustiquaire, puis entre et embrasse ma mère sur la joue. À côté de moi, Mattie soupire.

— Andrew me manque.

— Il n'est parti que depuis deux jours! dis-je. Et il sera de retour lundi.

— Peut-être qu'il va te rapporter un cadeau, lance Charity.

— Ça m'étonnerait qu'il y ait une boutique de cadeaux au camp de maths, dis-je.

— Clarissa, est-ce que je peux t'enlever ta charmante maman pour quelques heures? demande Doug.

Je fais semblant de réfléchir avant de répondre.

— Hum… d'accord.

Doug incline le buste devant moi.

— C'est grandement apprécié.

Les relations sont au beau fixe entre Doug et moi. Quand j'ai abordé avec lui l'incident de la chaise, il m'a remerciée de lui en avoir parlé et m'a dit qu'il me comprenait parfaitement. Cependant, ça ne l'a pas empêché de me donner une punition de son cru. Je dois promener Suzy après l'école les lundis et les mercredis. Parfois, Michael m'accompagne. Ce n'est pas si mal.

— Amusez-vous bien! dis-je. Ne faites rien que je ne ferais pas!

— Ne t'inquiète pas, dit Doug en m'adressant un clin d'œil. Je ne briserai aucun cœur.

Benji et Mattie éclatent de rire. Charity me tapote l'épaule.

— Ha, ha, dis-je d'un ton sarcastique.

— J'aime bien Doug, déclare Mattie tandis que nous les regardons traverser l'allée main dans la main.

Ma mère rit et Doug lui sourit sans arrêt.

Peut-être qu'un jour quelqu'un me sourira de cette façon. Peut-être que ce sera Michael, peut-être pas. Pour l'instant, ça ne me préoccupe pas trop. J'ai Benji, Mattie, et maintenant Charity à mes côtés, de même qu'une boîte entière de maïs à éclater au micro-ondes et la télé à la carte. L'école est presque finie et l'été sera bientôt là.

La vie est belle!

FIN

Remerciements

Mes remerciements les plus sincères à mes amis et à ma famille, des gens stimulants qui continuent à m'offrir soutien et encouragements inconditionnels. La richesse de l'écriture dépend essentiellement de la richesse de la vie de l'auteur; merci d'enrichir la mienne. Des remerciements spéciaux à tout le monde chez Scholastic Canada, ma famille du *Flying Dragon*, mes bien-aimés *Spaduplexers*, Anne Shone, Sally Harding, Kallie George (ma deuxième paire d'yeux) et Rebecca Jess (ma troisième paire d'yeux). Mille tendresses.